La diable

Jamais Ruth n'avait pensé qu'elle pouvait être une diablesse. C'était une grosse femme balourde d'un mètre quatre-vingt-dix, une épouse banale, mère de deux enfants, vivant dans la banlieue tranquille et respectable d'une grande ville et faisant de son mieux pour aller jusqu'au bout de chaque journée. Du moins le pense-t-elle.

Mais quand son mari lui avoue qu'il vit une folle passion avec Mary Fisher, une jeune milliardaire, auteur d'innombrables romans à l'eau de rose, une très jolie femme adulée et disponible, Ruth pique une colère et son mari la traite de « diablesse ». Alors, pour la première fois, Ruth imagine les pouvoirs et les plaisirs que pourrait lui donner une nature infernale.

En diablesse talentueuse, elle se lance dans un surprenant périple au cœur de la société, qui lui permettra d'accomplir sa cruelle et cocasse vengeance, sa transformation physique, et qui se terminera en apogée aussi imprévisible qu'inévitable.

La Diable est un jeu de massacre, une comédie de mœurs où l'humour noir côtoie le fantastique. Fay Weldon se place dans la tradition des grands moralistes.

Fay Weldon est née en Angleterre, a grandi en Nouvelle-Zélande, et fait des études d'économie et de psychologie en Écosse. Après des années de « petits boulots », elle écrit pour le théâtre et la télévision, et publie une dizaine de romans. Elle a trois enfants et vit à Londres.

Fay Weldon

La diable

roman

TRADUIT DE L'ANGLAIS
PAR ISABELLE REINHAREZ

Éditions Deuxtemps-Tierce

TEXTE INTÉGRAL

En couverture : Illustration Yvette Cathiard

Titre original : *The Life and Loves of a She-Devil*
Éditeur original : *Hodder and Stoughton*

ISBN 2-02-012966-3
(ISBN 2-903144-56-7, 1re publication)

1

Mary Fisher habite La Haute Tour, en bordure de mer : elle pond de gros pavés sur la nature de l'amour. Elle raconte des mensonges.

Mary Fisher a quarante-trois ans, l'amour, ça la connaît. Il y a toujours eu un homme près d'elle pour l'aimer, parfois de toute son âme, et il lui est arrivé d'aimer en retour, mais de toute son âme, jamais, si vous voulez mon avis. Elle écrit des romans sentimentaux. Elle se raconte des mensonges et en raconte au monde entier.

Mary Fisher a 754 300 dollars dans une banque à Chypre, un petit paradis fiscal. Ça fait 502 867 livres sterling, 1 931 009 deutschmark, 1 599 117 francs suisses, 185 055 050 yens... peu importe la monnaie. La vie d'une femme est ce qu'elle est, aux quatre coins du monde. C'est partout pareil : ceux qui possèdent, comme Mary Fisher, recevront plus encore, et ceux qui ne possèdent rien, comme moi, le peu qu'ils possèdent on leur prendra.

Mary Fisher, son argent, elle l'a gagné toute seule. Jonas, son premier mari, lui a expliqué que le capitalisme était immoral et elle l'a cru, douce et bonne comme elle est. Sinon, il y a fort à parier que Mary Fisher aurait déjà un bon gros portefeuille d'investissements. En fait, elle a quatre maisons, qui représentent en valeur cumulée – selon la situation du marché immobilier – entre un demi-million et un million de dollars. Une maison, bien sûr, ne vaut quelque chose, financièrement parlant, que s'il y a quelqu'un pour l'acheter ou si l'on peut se permettre de la vendre. Sinon, ce n'est qu'un endroit où habiter, seul ou en famille. Avec un peu de chance, les biens immobiliers ça donne de la tranquillité d'esprit; sans cette chance, on est exaspéré, insatisfait. Je souhaite de la mal-chance à Mary Fisher en matière immobilière.

Mary Fisher est petite, jolie, toute menue, portée à s'évanouir, à pleurer et à coucher avec plein d'hommes tout en prétendant que non.

Mary Fisher, mon mari l'aime, il est son comptable.

J'aime mon mari et je hais Mary Fisher.

2

Bon. Dehors la terre tourne, les marées montent à l'assaut de la falaise au pied de la tour de Mary Fisher et se retirent. En Australie les gommiers pleurent des larmes d'écorce; à Calcutta d'innombrables lueurs d'énergie humaine s'enflamment, flamboient et meurent; en Californie les surfers soudent leurs âmes à l'écume et entrent en voltigeant dans l'éternité. Et moi je suis enchaînée, ici et maintenant, enfermée dans mon corps, coincée dans un lieu précis, et je hais Mary Fisher. C'est tout ce que je peux faire. La haine m'obsède et me métamorphose, elle est mon lot. Cette découverte est toute récente.

Mieux vaut haïr que gémir. Je chante les louanges de la haine, et de toute l'énergie qui l'accompagne. Je chante un hymne à la mort de l'amour.

Si l'on quitte la côte en partant de la tour de Mary Fisher, que l'on descend son long chemin gravillonné (le jardinier est payé 110 dollars par semaine, ce qui est peu quelle que soit la monnaie), que l'on traverse l'allée venteuse de peupliers malades (c'est peut-être ainsi qu'il se venge) et sort de sa propriété, si l'on prend ensuite la grand-route, que l'on franchit les collines onduleuses à l'ouest, descend dans la grande plaine céréalière, et roule une bonne centaine de kilomètres, on arrive aux banlieues et à la maison où j'habite, au jardinet verdoyant où les enfants de mon Bobbo s'amusent. Il y a un millier de maisons plus ou moins identiques, à l'est, au nord, à l'ouest et au sud; nous sommes au centre, en plein centre, d'un endroit qui s'appelle Eden Grove. Une banlieue. Ni ville ni campagne, entre les deux. Verte, feuillue, prospère et, certains disent, superbe. Je vous accorde qu'il vaut mieux vivre ici que dans une rue du cœur de Bombay.

Je sais combien je suis au centre de cet endroit privé de centre parce que je passe mon temps le nez dans les cartes. J'ai besoin de connaître le détail géographique de mon infortune. Entre ma maison et la tour de Mary Fisher il y a 108 kilomètres, ou 67 miles.

Entre ma maison et la gare il y a 1 250 mètres et entre ma maison et les boutiques, 660 mètres. À la différence de la plupart de mes voisins, je ne conduis pas. Je suis moins bien coordonnée qu'eux. J'ai raté quatre fois mon permis. Autant marcher, dis-je, vu qu'il y a si peu à faire, quand on a balayé les coins et briqué les surfaces, en ce lieu qui a été conçu pour être un paradis. Flâner au paradis, je leur jure que c'est un rêve, et ils me croient.

Bobbo et moi habitons 19 Nightbird Drive. C'est une rue chic dans le plus joli coin d'Eden Grove. La maison est tout à fait neuve, nous sommes ses premiers occupants. Aucune résonance du passé ne la souille. Bobbo et moi avons deux salles de bains et des fenêtres panoramiques, nous attendons que les arbres poussent : bientôt, voyez-vous, nous jouirons même d'un peu d'intimité.

Eden Grove est un endroit sympathique. Mes voisins et moi nous invitons à dîner à tour de rôle. Nous parlons du réel, plutôt que de choses abstraites; nous échangeons des informations, pas des théories; nous maintenons notre équilibre en pensant au quotidien. Les généralités, c'est effrayant. Enfoncez-vous trop loin dans le passé et c'est la non-existence, trop loin dans le futur et le résultat est le même. Le présent doit être équilibré à la perfection. En ce moment on sert des travers de porc à la pékinoise avec, comble de l'audace, des serviettes en papier et des rince-doigts. Ça change! Les hommes opinent du bonnet et rigolent, les femmes tremblent, sourient et laissent tomber les plats.

La vie est belle. C'est Bobbo qui le dit. Il rentre à la maison moins souvent, alors il le dit moins souvent qu'avant.

Mary Fisher aime-t-elle mon mari? Lui rend-elle son amour? Le regarde-t-elle dans les yeux et lui parle-t-elle en silence?

Il m'a emmenée chez elle un jour, et j'ai trébuché sur le tapis – un cashmere authentique d'une valeur de 2 540 dollars – au moment de la saluer. Je mesure 1 mètre 88, une taille parfaite pour un homme mais pas pour une femme. Je suis aussi brune que Mary Fisher est blonde, avec une de ces mâchoires proéminentes comme en ont souvent les grandes brunes et un nez crochu. Mes épaules sont larges et osseuses, mes hanches larges et charnues et les muscles de mes jambes sont bien développés. Mes bras, je vous le jure, sont trop courts pour mon corps. Entre ma nature et mon physique, ça ne colle pas du tout. Je n'ai pas eu de veine, il faut croire, dans la grande Pêche Miraculeuse qu'est la vie d'une femme.

Quand j'ai trébuché sur le tapis, Mary Fisher a eu un petit sourire en coin et j'ai vu son regard filer vers celui de Bobbo, comme s'ils avaient déjà imaginé la scène.

«Parle-moi de ta femme», aurait-elle susurré après l'amour.

«Balourde», aurait-il répondu. Il aurait peut-être ajouté, avec un peu de chance : «Pas une beauté, mais une bonne âme.» Oui je crois qu'il aurait dit ça, ne serait-ce que pour se justifier et me renier. On ne peut pas demander à un homme d'être fidèle à une merveilleuse mère et une bonne épouse – où est l'érotisme là-dedans?

Aurait-il précisé, aussi, avec une gaieté coupable et exaltée : «Elle a quatre verrues sur le menton dont trois sont poilues»? Je crois bien; qui pourrait s'en empêcher, en gloussant, piaillant et se chatouillant au lit, après l'amour, à l'heure où l'on juge de la valeur de la vie?

Je suis convaincue qu'à un moment ou un autre Bobbo aurait dit, à la façon des maris : «Je l'aime. Je l'aime mais je ne suis pas amoureux d'elle, pas comme je suis amoureux de toi. Tu comprends?» Et Mary Fisher aurait hoché la tête, comprenant fort bien.

Je connais la vie, je connais mes semblables. Je sais que nous faisons tous cause commune quand il s'agit de s'aveugler sur la réalité des choses, et qui donc mieux que les amants adultères? J'ai le temps d'y réfléchir, quand la vaisselle est terminée, que la maison est silencieuse, que la vie s'écoule goutte à goutte, et qu'il n'y a rien d'autre à faire à part se demander si Bobbo et Mary Fisher sont ensemble maintenant, à l'instant même – comme le temps paraît étrange! Et je réfléchis, je réfléchis, je joue chaque rôle, parfois lui, parfois elle. Ça me donne l'impression d'appartenir au tout qu'ensemble ils constituent. Moi qui ai été réduite à rien. Puis Bobbo téléphone et annonce qu'il ne rentrera pas, les enfants reviennent de l'école et un silence étrange et familier s'abat sur la maison, une épaisse chape blanche jetée sur nos vies, qui amortit les sons. Même quand la chatte attrape une souris, les miaulements et les glapissements semblent venir de très loin, d'un autre monde.

Bobbo est bel homme et j'ai de la chance de l'avoir pour mari. Les voisins en font souvent la remarque. «Quelle chance d'avoir quelqu'un comme Bobbo.» Pas étonnant, continuent à dire leurs yeux, qu'il s'absente de temps à autres. Bobbo mesure 1 mètre 78, 10 centimètres de moins que moi. Il mesure 15 centimètres de plus que Mary Fisher, qui chausse du 36 et qui l'année dernière a dépensé 1 200,50 dollars en chaussures. Au lit avec moi, tout de même, Bobbo n'a pas de problème d'impuissance. Il ferme les yeux. Autant que je sache il ferme les yeux quand il est au lit avec elle, mais je n'en suis pas convaincue. Je n'imagine pas ça comme ça.

À mon avis les autres femmes, d'un bout à l'autre d'Eden Grove, sont plus douées que moi pour se raconter des mensonges. Leurs maris non plus ne sont pas là souvent. Comment, sinon à coups de mensonges, peuvent-elles vivre, se respecter? Parfois, bien sûr, les mensonges ne suffisent même plus à les protéger. On les trouve pendues dans le garage ou glacées, mortes d'overdose dans le lit conjugal. L'amour les a tuées, cinglant, mordant, venimeux.

Et comment, en particulier, survivent les femmes laides, celles que le monde plaint? Les chiens, ainsi qu'on nous appelle. Je vais vous le dire : elles vivent à ma manière, en affrontant la vérité, en durcissant leur peau contre l'humiliation perpétuelle jusqu'à l'avoir aussi coriace et froide que celle d'un crocodile. Et nous attendons la vieillesse qui remettra les pendules à l'heure. Nous faisons d'excellentes vieilles dames.

Ma mère, qui était plutôt jolie, avait honte de moi. Ça se lisait dans ses yeux. J'étais son aînée. «Tout le portrait de ton père», disait-elle. À l'époque elle s'était déjà remariée, bien sûr. Elle avait laissé mon père depuis bien longtemps, loin derrière, méprisé. Mes deux demi-sœurs ressemblaient à ma mère, c'étaient des petites poupées délicates et menues. Je les aimais bien. Elles savaient charmer, et me charmaient, même moi. «Vilain petit canard», me lança un jour ma mère, les larmes aux yeux, en lissant mes cheveux drus. «Qu'allons-nous faire de toi? Que vas-tu devenir?» Je crois qu'elle m'aurait peut-être aimée si elle avait pu. Mais la laideur et le manque d'harmonie lui répugnaient, c'était plus fort qu'elle. Elle le répétait assez souvent, pas précisément à mon sujet bien sûr, mais je connaissais ses idées, je savais ce qu'elle voulait dire. Il m'arrive de penser que je suis née avec les terminaisons nerveuses non pas à l'intérieur mais à l'extérieur de la peau; elles frémissaient et vibraient. Je suis devenue informe et abrutie pour tenter de les obturer, pour éviter d'en savoir trop.

Et je n'ai jamais pu, voyez-vous, même par amour pour ma mère, apprendre à sourire gentiment et à rester tranquille. Mon esprit tapait sur des touches, on aurait dit un piano affreusement désaccordé, jamais silencieux, sur lequel on joue à l'aveuglette. Elle me baptisa Ruth avec le désir, je crois, dès mes premiers jours, de m'oublier. Un nom court, triste, qui vous expédie vite fait. Mes petites demi-sœurs s'appelaient Jocelyn et Miranda. Elles ont fait de beaux mariages et ont disparu, évanouies à coup sûr dans la félicité, baignées dans la clarté de l'admiration universelle.

3

Mary Fisher, habitante de La Haute Tour! Qu'y a-t-il à dîner ce soir? Peut-être ne le sais-tu même pas. Peut-être laisses-tu ce soin aux domestiques. Et qui est invité? Peut-être as-tu d'autres amants encore parmi lesquels choisir, pour contempler avec toi, au-delà des baies vitrées, le port et la mer, pour regarder la lune se lever et le ciel changer de couleur? Peut-être ne manges-tu jamais, sinon l'esprit à demi absorbé par la nourriture et à demi par l'amour à venir? Veinarde! Mais ce soir, du moins, tu n'auras pas Bobbo. Ce soir Bobbo dîne avec moi.

J'ouvrirai les portes-fenêtres de la salle à manger donnant sur le jardin; enfin, si le vent ne se lève pas. Nous avons de ravissantes belles-de-nuit qui poussent le long du garage. Nous avons un double vitrage.

La facture d'entretien des vitres de Mary Fisher s'élevait à 295,75 dollars rien que le mois dernier. La somme a été virée de la banque de Chypre sur le compte de Mary Fisher destiné aux dépenses ménagères. Bobbo, quand il lui arrive d'être chez nous, rapporte souvent les comptes de Mary Fisher. Je ne dors pas beaucoup les nuits où il est avec moi : je me lève sans bruit et je vais dans son bureau examiner la vie de Mary Fisher. Bobbo dort à poings fermés. En vérité, il vient à la maison se reposer. Rattraper le sommeil en retard.

Je nettoie les vitres moi-même, c'est parfois un gros avantage d'être grande.

Ce soir au 19 Nightbird Drive, nous allons manger de la soupe aux champignons, des vol-au-vent au poulet et de la mousse au chocolat.

Les parents de Bobbo sont invités. Il ne veut pas les chagriner, alors il nous jouera le numéro du bon mari de banlieue et, une fois n'est pas coutume, présidera à table. Ses yeux erreront dehors sur les giroflées, les roses trémières et les plantes grimpantes. J'aime jardiner. J'aime dominer la nature et embellir les choses.

Bobbo se débrouille comme un chef dans la vie. Il a réussi. Autrefois il occupait un modeste poste de fonctionnaire du fisc et puis il a démissionné, jeté la prudence aux orties, risqué sa retraite et s'est lancé dans le conseil fiscal privé. Maintenant il gagne beaucoup d'argent. Ça l'arrange de me reléguer à Eden Grove. Bobbo a un appartement agréable au centre ville, encore 15 kilomètres plus loin à l'est, 15 kilomètres plus loin de chez Mary Fisher, où de temps à autres il donne des soirées pour ses clients, où il a pour la première fois rencontré Mary Fisher en personne et où il passe la nuit quand il est débordé de travail. À ce qu'il dit. Je vais très rarement à l'appartement de Bobbo ou à son bureau. Je fais savoir que je suis trop occupée. Ce serait gênant pour Bobbo que sa clientèle chic me voie. Nous le savons tous les deux. L'épouse popote de Bobbo! Parfaite, sans doute, pour un percepteur des impôts, guère pour un conseiller fiscal travaillant dans le privé et gagnant des millions.

Mary Fisher, j'espère que ce soir tu manges du saumon rose en boîte, que la boîte a gonflé et que le botulisme t'empoisonnera. Mais un tel espoir est vain. Mary Fisher mange du saumon frais et de toute façon on peut faire confiance à son palais raffiné pour détecter le poison, aussi indétectable soit-il par d'autres bouches plus frustes. Avec quel raffinement, quelle rapidité, elle cracherait la bouchée néfaste et sauverait sa vie!

Mary Fisher, j'espère qu'un vent si violent va se lever ce soir, que les baies vitrées de la tour éclateront, que la tempête s'engouffrera à l'intérieur et que tu mourras noyée, pleurant toutes les larmes de ton corps, terrorisée.

Je prépare de la pâte feuilletée pour les vol-au-vent au poulet et quand j'ai fini de découper des ronds dans la pâte avec le bord d'un verre, je prends les fines lanières arrondies qui restent et les façonne en forme de Mary Fisher, je règle le four sur chaud, bien chaud, et je cuis la statuette dedans jusqu'à ce qu'une telle puanteur emplisse la cuisine que même le ventilateur ne peut l'évacuer. Parfait.

J'espère que la tour brûle et Mary Fisher avec, propageant l'odeur de chair carbonisée au-dessus des vagues. J'irais bien y mettre le feu mais je ne conduis pas. Je ne peux aller à la tour que si Bobbo m'y emmène en voiture et il y a renoncé. 108 kilomètres. Il dit que c'est beaucoup trop loin.

Bobbo, écartant les petites jambes lisses de Mary Fisher aux mollets polis, aux cuisses polies, introduisant son doigt, comme à son habitude, là où suivra plus tard son moi concentré.

Je sais qu'il lui fait la même chose qu'à moi, parce qu'il me l'a raconté. Bobbo croit à la sincérité. Bobbo croit à l'amour.

«Sois patiente», recommande-t-il, «je n'ai pas l'intention de te quitter. Je suis amoureux d'elle, c'est tout, et pour le moment je dois agir en conséquence.» L'amour, qu'il dit! L'amour! Bobbo parle beaucoup d'amour. Mary Fisher n'écrit que sur l'amour. Sans amour on est rien du tout.

J'imagine que j'aime Bobbo parce que c'est mon mari. Les femmes bien aiment leur mari. Mais l'amour, comparé à la haine, est un sentiment bien pâlichon. Tourmenté, fatigant, qui vous gâche la vie.

Mes enfants rentrent du jardin d'été. Un couple de pigeons. Le garçon, frêle comme ma mère et pleurnichard comme elle. La fille, grande et toute en creux et en bosses, comme moi, exprimant une agressivité qui masque le désespoir d'une trop vive sensibilité. Le chien et le chat entrent sur leurs talons. Le cochon d'Inde froufroute et nasille dans son coin. Je viens de nettoyer sa cage à fond. Le chocolat pour la mousse bouillonne et fond dans la casserole. C'est là le bonheur, la complétude de la vie familiale de banlieue. Ce dont nous devrions nous réjouir, notre destin. Adieu le caniveau du désir fou, à nous les pelouses rases de l'amour conjugal.

À d'autres!, ainsi que j'ai entendu ma mère le dire sur son lit de mort, alors que le prêtre de service lui promettait la vie éternelle.

4

La mère de Bobbo, Brenda, se glissait à pas de loup vers la maison de son fils au 19 Nightbird Drive. Elle était d'un naturel badin dont son fils n'avait pas hérité. Brenda voulait coller son nez à une fenêtre et surprendre Ruth. «Coucou, je suis là», articulerait-elle à travers la vitre, «c'est moi le monstre, la belle-mère!» Elle s'excuserait ainsi de son rôle difficile dans la famille et donnerait à la soirée, du moins l'imaginait-elle, un bon départ; s'il y avait des tensions, elles s'envoleraient dans les rires.

Les petits talons de Brenda s'enfoncèrent dans la pelouse rase, abîmant à la fois talons et pelouse. L'herbe était fraîchement tondue. Ruth aimait tondre le gazon. Elle pouvait pousser la tondeuse d'une seule main vigoureuse et mener rondement la tâche, tandis que ses voisines, plus petites, transpiraient, râlaient et bataillaient. Ça ne ratait jamais – pour couper une herbe laissée trop haute avec la conviction, anéantie chaque semaine et ressuscitée chaque semaine, que tondre la pelouse était le travail des maris.

La mère de Bobbo regarda par la fenêtre de la cuisine où la soupe aux champignons mijotait, attendant sa goutte de crème fraîche et sa giclée de xérès, et hocha la tête d'un air approbateur. Elle aimait que les choses soient bien faites – pourvu que quelqu'un d'autre s'en charge. Elle regarda par les portes-fenêtres dans la salle à manger où la table était dressée pour quatre, les bougies dans leurs bougeoirs, les plats en argent astiqués, le buffet épousseté, et soupira d'admiration. Ruth n'avait pas sa pareille pour astiquer. Une friction de ses doigts puissants et les taches disparaissaient. Brenda devait utiliser une brosse à dents électrique pour bien entretenir son argenterie – un boulot interminable et énervant – et si elle enviait quelque chose à Ruth, c'était peut-être ça : son don pour l'argenterie.

Brenda, la mère de Bobbo, n'enviait pas à Ruth d'être mariée à Bobbo. Brenda n'aimait pas Bobbo et ne l'avait jamais aimé. Elle avait un petit peu d'affection pour Bobbo et un petit peu d'affection pour son mari; même là cependant, le flou dominait.

Le parfum des belles-de-nuit emplit l'air.

– Quelle perle, dit la mère de Bobbo à son mari Angus.

– Quel veinard, ce Bobbo!

Angus était planté dans l'allée, attendant que l'humeur badine de son épouse s'apaise et qu'elle cesse d'épier derrière les fenêtres. Brenda portait de la soie beige, des bracelets en or et aimait se sentir intemporelle. Angus portait un costume à carreaux d'un marron pisseux, une chemise ocre et une cravate à pois bleue. Qu'ils aient de l'argent à la pelle ou soient en pleine banqueroute, Brenda était toujours un peu trop élégante et Angus un rien ridicule. Brenda avait un petit nez en trompette et des yeux trop ronds, Angus un gros nez charnu et des tout petits yeux.

Bobbo portait des costumes gris, des chemises blanches, des cravates pastels, et veillait toujours à paraître sérieux et neutre, attendant son heure, dissimulant son pouvoir. Son nez était droit et fort et ses yeux juste comme il fallait.

Brenda regarda dans le salon et vit les deux enfants devant la télévision. Les reliefs d'un dîner pris de bonne heure traînaient sur la table. Ils étaient lavés, peignés et prêts à aller se coucher; ils paraissaient heureux, quoique sans charme. Mais avec Ruth pour mère que pouvait-on attendre?

– Quelle mère parfaite, chuchota Brenda à Angus, lui intimant d'approcher pour admirer la scène. Elle impose le respect.

Brenda fit tomber de ses talons la terre qui y était collée et s'avança jusqu'à la buanderie où Bobbo tirait d'une pile impeccable une chemise repassée et pliée. Il était en tricot de corps et caleçon, mais Brenda ne l'avait-elle pas baigné quand il était petit garçon? Une mère peut-elle s'effaroucher de la nudité de son fils?

Brenda ne remarqua pas les délicates petites traces de morsure sur le bras de son fils, ou peut-être que si et qu'elle pensa à des piqûres d'insectes. De toute façon, ça ne pouvait pas être l'œuvre des dents de Ruth, des dents larges, épaisses et irrégulières.

«Quelle bonne épouse, s'exclama la mère de Bobbo, presque émue aux larmes. Regarde-moi ce repassage!» La mère de Bobbo fuyait le repassage comme la peste. Au bon vieux temps, Angus et elle aimaient vivre à l'hôtel, rien que pour le service de teinturerie. «Et quel bon mari, en définitive, ce Bobbo!» Si elle jugea son fils narcissique – il se contemplait longuement dans la glace – elle n'en souffla mot.

Bobbo regardait ses yeux clairs et élégants, son front intelligent, sa bouche un peu meurtrie, et se voyait à peine; il voyait l'homme qu'aimait Mary Fisher.

Bobbo, tout en s'habillant, mettait au point dans sa tête un barème monétaire pour l'amour physique. S'il pouvait attribuer aux choses une valeur fiscale, il se sentait mieux. Il n'était pas près de ses sous, il dépensait volontiers. Il ne voyait simplement aucune différence entre la vie et l'argent. Son père l'avait suggéré assez souvent.

« Le temps c'est de l'argent, répétait Angus, en poussant son fils dehors sur le chemin de l'école. La vie c'est du temps et le temps c'est de l'argent. » À l'école, Bobbo devait parfois y aller à pied parce qu'il n'avait pas un sou pour le bus. Parfois il y allait avec un chauffeur en Rolls-Royce. Angus avait gagné 2 millions et en avait perdu 3 quand Bobbo était enfant. Une vie pleine de hauts et de bas pour un gamin qui grandit! « Dans le même temps qu'il te faut pour y arriver, disait-il à Bobbo qui essayait de lacer ses petits souliers avec des doigts malhabiles, je pourrais gagner 1 000 livres. »

Un barème monétaire pour l'amour physique, réfléchit Bobbo, devrait déterminer la somme de productivité-perdue plus énergie-consommée face au bilan plaisir-obtenu plus créativité-renouvelée. Un coït de ministre, aussi faible soit-il, pouvait s'élever à quelque 200 dollars, un cinq à sept de femme au foyer, aussi énergique soit-il, à tout juste 25 dollars. Un acte d'amour avec Mary Fisher, qui gagnait gros et ne ménageait pas son énergie, vaudrait 500 dollars. Un acte d'amour avec sa femme serait classé à 75 dollars mais, à cause de sa plus grande fréquence, donnerait, hélas, un rendement décroissant. Plus on couchait avec quelqu'un, pensait Bobbo, plus la valeur baissait.

La mère de Bobbo extirpa une fois encore ses talons de la nouvelle pelouse à la terre bien entretenue, fit signe à son mari et, en sa compagnie, se dirigea vers la façade de la maison. Elle jeta un coup d'œil dans le salon et là, tiens, elle aperçut le dos gigantesque de Ruth qui, penchée sur le tourne-disque, préparait un agréable choix de musique pré et post-dînatoire.

Ruth se redressa et se cogna la tête contre la poutre de chêne au-dessus de la cheminée. La maison avait été conçue pour des habitants beaucoup plus petits.

Au moment où sa belle-mère s'apprêtait à écraser son nez contre la vitre et à laisser libre cours à son humeur badine, Ruth se retourna. Même à travers la vitre il était évident qu'elle avait pleuré. Son visage était bouffi et ses yeux gonflés. «Le blues des banlieues! murmura Brenda à Angus. Il frappe même les plus heureux!» Sous leurs yeux Ruth brandit des mains griffues et véhémentes vers le ciel, quelque part au-dessus du plafond vert glauque, comme pour implorer la venue d'un dieu redoutable, d'un sort inévitable.

– Je crois qu'elle est un peu plus chagrine que d'habitude, remarqua la mère de Bobbo à contrecœur. J'espère que Bobbo est gentil avec elle.

En compagnie du père de Bobbo elle alla s'asseoir sur le petit banc devant la maison pour regarder le soir s'obscurcir, la nuit tomber sur Nightbird Drive et échanger des propos décousus sur leur existence et celle des autres.

– Nous allons lui laisser le temps de se calmer, suggéra la mère de Bobbo. Les dîners, même en famille, ce n'est jamais de tout repos!

La mère de Bobbo avait une parole paisible et une pensée douce et agréable pour chaque occasion. Personne ne comprenait où Bobbo avait été pêcher ce caractère entêté et récriminateur. Le père de Bobbo partageait l'aptitude de sa femme pour la pensée positive; soixante-six pour cent du temps, une telle attitude était justifiée. Les choses s'arrangent parfois au mieux, pourvu que l'on y croie, il suffit donc de laisser faire.

Mais Bobbo, à l'encontre de ses parents, n'aimait pas s'en remettre au hasard. L'ambition de Bobbo, c'était le succès à cent pour cent.

Bobbo finit de s'habiller. Il trouvait normal que ses vêtements soient lavés et repassés. Chez Mary Fisher le valet de chambre, Garcia, s'en chargeait; ça aussi Bobbo le trouvait normal.

«Que mange Mary Fischer pour le dîner?» se demanda Bobbo, comme son épouse se l'était demandé plus tôt, et il lui tarda d'être l'un des délicats morceaux que sa maîtresse mettait dans sa bouche. Ah, être absorbé, digéré! Une tranche de saumon fumé, un quartier d'orange, une goutte de champagne.

C'étaient là les mets raffinés que Mary Fisher aimait déguster, réalisant ainsi les fantasmes des autres. Difficile, impossible Mary Fisher! «Un petit peu de saumon fumé, assurait-elle, ne coûte vraiment pas plus cher qu'une grosse boîte de thon. Et c'est tellement meilleur.»

Demi-mensonge et demi-vérité; comme presque tout ce que Mary Fisher disait et écrivait.

Bobbo passa au salon et découvrit sa grosse femme qui déchirait l'air de ses ongles.

– Pourquoi pleures-tu? demanda-t-il.

– Parce que je me suis cogné la tête, répondit-elle.

Il accepta le mensonge car ses parents seraient là d'une minute à l'autre et, en outre, il ne prêtait plus grand intérêt à ce que sa femme disait ou faisait, ni à ses raisons de pleurer. Il oublia Ruth et se demanda, comme ça lui arrivait souvent, quelle était la nature exacte des rapports entre Mary Fisher et Garcia, son valet de chambre. Garcia découpait le saumon, débouchait le champagne et briquait les larges baies vitrées des étages du bas, intérieur et extérieur. Les autres tâches ménagères, plus subalternes, il les déléguait aux bonnes. Garcia était payé 300 dollars par semaine, deux fois plus que ce que les valets de chambre à demeure recevaient d'ordinaire chez d'autres clients de Bobbo. Garcia s'introduisait dans l'antre de sa maîtresse avec des petits pots de café et les déposait sur la grande table de verre à colonne d'acier, où Mary Fisher écrivait ses romans d'une écriture en pattes de mouche sur du papier fin, fin, fin, à l'encre rouge clair. Garcia était grand, bien en chair, brun, jeune, ses doigts étaient longs et Bobbo se demandait parfois où ils allaient s'égarer. Garcia avait vingt-cinq ans et son allure suffisait à précipiter aussitôt Bobbo dans un abîme de conjectures sexuelles.

– Mais Bobbo, protestait Mary Fisher, tu n'es pas jaloux, au moins! Garcia pourrait être mon fils.

– Œdipe était rudement jeune aussi, répondait alors Bobbo, et Mary Fisher riait aux éclats.

Qu'il était ravissant son rire et comme il venait facilement. Bobbo aurait voulu être le seul à l'entendre. Et pourtant comment rester avec elle tout le temps? Bobbo avait de l'argent à gagner, du travail à accomplir, des enfants avec qui jouer son rôle de père et une épouse, aussi maladroite, larmoyante et assommante soit-elle, avec qui jouer son rôle de mari. Il s'était engagé dans le mariage, il irait jusqu'au bout. Et puisqu'il souffrait, Ruth souffrirait aussi.

Sa femme lui paraissait infiniment grosse, et plus grosse encore depuis qu'il lui avait avoué son amour pour Mary Fisher. Il lui demanda si elle prenait de l'embonpoint, elle répondit non et monta sur la balance pour le lui prouver. 90 kilos 500. 500 grammes de moins que d'habitude! Ça ne pouvait donc être que dans sa tête à lui qu'elle se dressait plus imposante que jamais.

Bobbo mit un disque. Il pensa couvrir ainsi les sanglots de sa femme. Il choisit Vivaldi pour les calmer tous les deux. Les *Quatre Saisons*. Il aurait voulu qu'elle ne pleure pas. Qu'attendait-elle de lui? Il n'avait jamais prétendu l'aimer. Peut-être? Il ne s'en souvenait guère.

Ruth quitta la pièce. Il entendit le déclic du four qui s'ouvrait, un petit cri, un grand fracas. Elle s'était brûlé les doigts. Les vol-au-vent étaient par terre, il le savait. Pourtant la distance était si courte du four à la table!

Bobbo augmenta le volume de la musique, entra dans la cuisine et trouva le poulet, la béchamelle et la pâte feuilletée sur les dalles de lino; le chien et la chatte s'étaient déjà jetés dessus. D'un coup de pied il expédia les animaux dans le jardin, il poussa Ruth sur une chaise, lui recommanda de ne pas perturber les enfants déjà bien assez perturbés par son attitude, et râcla le tout avec méthode et de façon aussi hygiénique que possible, n'arrivant pas à reconstituer des tartelettes individuelles mais, au moins, une apparence de grand flan de poulet. Ce fut par hygiène que Bobbo laissa une mince pellicule de nourriture sur le sol. Il estima sa valeur à quelque 2 dollars.

Il pria la chatte et le chien de venir lécher cette pellicule, mais ils boudaient dehors tous les deux et refusèrent de rentrer dans la maison. Ils restèrent assis sur le mur à côté des parents de Bobbo et, comme eux, attendirent que le climat domestique s'améliore.

– Arrête de pleurer, supplia Bobbo dans la cuisine. Pourquoi fais-tu une telle histoire de tout? Ce ne sont que mes parents qui viennent dîner. Ils n'en demandent pas tant. Un repas tout simple leur irait très bien.

– Non, ce n'est pas vrai. Mais ce n'est pas pour ça que je pleure.

– Pourquoi alors?

– Tu le sais.

Ah, Mary Fisher. Ça oui, il le savait. Il essaya de la raisonner.

– Tu n'espérais pas, quand je t'ai épousée, que je n'aime plus jamais que toi?

– C'est exactement ce que j'espérais. C'est ce que tout le monde espère.

On l'avait trompée et elle le savait.

– Mais tu n'es pas comme tout le monde, Ruth.

– Tu veux dire que je suis un monstre.

– Non, répondit-il avec prudence et bonté. Je veux dire que nous avons chacun notre personnalité.

– Mais nous sommes mariés. Nous ne faisons qu'un.

– Notre mariage a été plutôt un mariage de convenance, ma chérie. Je pense que nous l'avons tous les deux admis à l'époque.

– À ta convenance.

Il rit.

– Pourquoi ris-tu?

– Parce que tu penses en clichés et parles en clichés.

– J'imagine que ce n'est pas le cas de Mary Fisher?

– Bien sûr que non. C'est une artiste, elle crée.

Andy et Nicola, les enfants, apparurent à la porte de la cuisine; lui petit et léger, elle grosse et imposante. Le monde à l'envers. Il faisait plus fillette qu'elle. Bobbo reprochait à Ruth d'avoir raté les enfants. Il avait le sentiment que leur mère l'avait fait exprès. Son cœur saignait pour eux. Les enfants, ça vous met les nerfs à fleur de peau et vous les agace chaque jour, à en crier. Il aurait voulu qu'ils ne soient jamais nés même s'il les aimait. Ils se dressaient entre Mary Fisher et lui, et il faisait d'étranges rêves dans lesquels ils connaissaient des fins tragiques.

– Je peux avoir un beignet? demanda Nicola.

Face aux crises domestiques, elle réclamait à manger. Elle était obèse. La réponse attendue, « Non », jouerait tout simplement le rôle de diversion et épargnerait donc à ses parents d'autres chagrins. Ils seraient si occupés à la réprimander qu'ils en oublieraient leur dispute ou, du moins, le croyait-elle, à tort.

– J'ai une écharde, lança Andy. Regardez, je boite!

Il en fit la démonstration, marcha sur la pellicule de nourriture, entra en boitant au salon et colla de la sauce sur le tapis. Un tapis vert automne qui s'harmonisait avec goût et sans audace avec les murs avocat et le plafond vert glauque. Bobbo estima que les traces de pas graisseuses augmenteraient de 30 dollars la facture du teinturier. Au moment de la révision annuelle, le tapis devrait partir pour un nettoyage spécial et non pas ordinaire.

Dehors, Angus et Brenda décidèrent que Ruth devait avoir maintenant retrouvé son calme. Ils quittèrent leur mur, remontèrent l'allée du jardin et firent tinter le carillon sylvestre de la porte d'entrée. Pling-plong!

– Je t'en prie, pas de scène devant mes parents, supplia Bobbo.

Ruth redoubla de larmes ; elle poussa de gros sanglots hoquetants et secoua ses gigantesques épaules. Même ses larmes paraissaient plus grosses et plus mouillées que celles des autres. Mary Fisher, songea Bobbo, versait de jolies petites larmes ; leur tension superficielle était beaucoup plus forte que celles de sa femme et leur valeur sans doute plus élevée sur le marché libre conjugal. Si seulement ça pouvait exister, il échangerait Ruth sans attendre.

– Entrez, lança-t-il à ses parents. Entrez donc ! Quel plaisir de vous voir tous les deux ! Ruth vient d'éplucher des oignons. Elle a la larme à l'œil, on dirait !

Ruth se précipita dans sa chambre. Quand Mary Fisher courait, son pas était vif et léger. Le poids de Ruth passait d'une énorme jambe à l'autre et ébranlait la maison à chaque pas. Les maisons d'Eden Grove n'étaient pas seulement conçues pour des gens plus petits, mais aussi beaucoup plus légers.

5

Bon. Dans les romans de Mary Fisher, qui se vendent par centaines de milliers sous des jaquettes chatoyantes rose et or, des héroïnes petites et loyales lèvent des yeux embués de larmes vers des hommes beaux et, en renonçant à eux, les conquièrent. Mais pour les femmes d'1 mètre 88, ce n'est pas si facile.

Et je vais vous dire : je suis jalouse! Je suis jalouse de toutes les jolies petites femmes qui ont vécu et levé les yeux depuis que le monde est monde. Je suis, en vérité, dévorée par la jalousie et c'est un sentiment qui a un fameux appétit. Mais pourquoi m'en faire, demanderez-vous? Ne puis-je pas simplement me suffire à moi-même, oublier cette partie de ma vie et me trouver satisfaite? N'ai-je pas un foyer, un mari pour payer les factures et des enfants à élever? N'est-ce pas suffisant? «Non!» voilà la réponse. Je veux, à tout crin, à tout prix, participer à cet autre univers érotique du choix, du désir et du sexe. Ce n'est pas de l'amour que je veux; ce n'est pas si simple. Ce que je veux c'est tout prendre et ne rien donner en échange. Ce que je veux c'est le pouvoir sur les cœurs et les poches des hommes. C'est tout le pouvoir que l'on nous accorde, ici à Eden Grove, au paradis, et même ça je n'y ai pas droit.

Je suis plantée là dans ma chambre, notre chambre, la

chambre de Bobbo et moi, et compose mon visage en toute hâte pour retourner à mes devoirs conjugaux, à ma condition d'épouse et de mère et à mes beaux-parents.

Pour m'aider je récite la Litanie de la Bonne Épouse :

> Je dois faire semblant d'être heureuse quand je ne le suis pas, pour le bien de tous.
>
> Je ne dois pas critiquer mon mode de vie, pour le bien de tous.
>
> Je dois être reconnaissante pour le toit sur ma tête et la nourriture sur ma table et passer mes journées à le montrer, en faisant le ménage et la cuisine et en sautant de ma chaise à tout instant; pour le bien de tous.
>
> Je dois me débrouiller pour que les parents de mon mari m'apprécient et que mes parents l'apprécient, pour le bien de tous.
>
> Je dois accepter le principe que celui qui gagne l'argent du ménage règne en maître chez lui, pour le bien de tous.
>
> Je dois épanouir l'assurance sexuelle de mon mari, je ne dois pas exprimer le moindre intérêt sexuel pour d'autres hommes, en privé ou en public; je ne dois pas prêter attention à sa façon de m'abaisser lorsqu'il chante en public les louanges de femmes plus jeunes, plus jolies et qui ont mieux réussi que moi, et qu'en privé il couche avec elles, s'il le peut; pour le bien de tous.
>
> Je dois lui dispenser mon support moral dans toutes ses entreprises, aussi immorales puissent-elles être; pour le bien du mariage. Je dois faire semblant dans tous les domaines de lui être inférieure.

> Je dois l'aimer dans la richesse et la pauvreté, pour le meilleur et pour le pire, et ne jamais dévier dans ma loyauté envers lui; pour le bien de tous.

Mais la Litanie ne fonctionne pas. Elle n'apaise pas, elle excite la colère. Je dévie, ma loyauté dévie! Je regarde en moi, je trouve la haine, oui, la haine pour Mary Fisher, brûlante, violente et délicieuse, mais pas un soupçon d'amour, pas le plus petit germe. Je n'aime plus Bobbo! Je me suis précipitée au premier étage le cœur débordant d'amour, l'œil mouillé. Je vais me précipiter au rez-de-chaussée, le cœur sans amour, l'œil sec.

6

– Mais pourquoi pleurait-elle? s'enquit Brenda auprès de Bobbo, tandis que toute la maison tremblait sous les pas de Ruth qui montait au premier. C'est le mauvais moment du mois?

– Je crois bien, répondit Bobbo.

– Quelle calamité pour une femme, observa Brenda, et Angus toussota, gêné par le tour que prenait la conversation.

À ce moment-là Ruth descendit, le sourire aux lèvres, et servit la soupe.

Douze ans déjà que Bobbo avait rencontré Ruth. C'était une des dactylos d'Angus. Angus était dans la papeterie, en route vers son second million que l'adoption de la Taxe sur la Valeur Ajoutée devait plus tard réduire à zéro. Angus et Brenda vivaient pour une fois dans une maison, pas un hôtel, ce que Bobbo appréciait, bien qu'il fût au loin pour suivre des études supérieures. Les études de comptabilité durent des années et gardent le fils (c'est forcément un fils) anormalement dépendant de son père.

Ruth était unc jeune fille serviable et dévouée, capable de se concentrer, et qui ne passait pas des heures à contempler son image dans les miroirs. Bien au contraire, Ruth évitait les miroirs. Elle vivait loin de chez elle bien qu'elle n'eût pas encore vingt ans. On avait eu besoin de sa chambre pour loger le train électrique de son beau-père. Le train et elle ne pouvaient sans risque partager une chambre, en raison de sa maladresse à elle et de la fragilité et de la délicatesse du matériel. L'un des deux devait céder la place et Ruth était plus facile à déloger. Ça peut prendre des mois de bien monter des rails; une jeune femme peut s'installer n'importe où.

Ruth avait donc élu domicile dans un foyer habité en majorité par des vendeuses, une race de jeunes femmes particulièrement sveltes et délicates. Les ceintures qui sanglaient leur taille minuscule ceindraient à peine une des cuisses de Ruth.

C'était sans émotion qu'elle avait quitté la maison de son enfance; il était évident pour tout le monde, et même Ruth, qu'elle était devenue trop grande pour les lieux. Elle n'aimait pas faire d'histoires. Elle avait suivi des cours dans un couvent dirigé par des bonnes sœurs de l'espèce la plus superstitieuse et la moins intellectuelle qui soit; tout portait sur l'enseignement des grâces féminines et ménagères; à part sténo-dactylo, on ne passait pas d'examens. La formation encourageait le stoïcisme, pas les sentiments égoïstes, ni les larmes pour s'attirer la compassion d'autrui.

Les demi-sœurs de Ruth, Miranda et Jocelyn, réussissaient plutôt bien à Sainte-Marthe, surtout en danse grecque dont elles donnaient de charmantes démonstrations dans des spectacles de fin de trimestre. Dans ces occasions Ruth était utile, elle aussi, pour changer les décors. « Vous voyez, remarquaient les bonnes sœurs, chacun a sa valeur. Il y a une place pour tout le monde dans la merveilleuse création de Notre-Seigneur. »

Peu après l'installation de Ruth au foyer de jeunes filles, sa mère quitta le domicile conjugal. Peut-être se sentit-elle à son tour reléguée dans un coin par l'envahissant train électrique, ou était-elle déçue par le manque d'enthousiasme sexuel dont font si souvent preuve ceux qui se passionnent pour ce hobby enrichissant, ou peut-être advint-il – comme Ruth l'imagina – que la soudaine absence de la fille libéra la mère. En tout cas la mère de Ruth fila en Australie, aux antipodes, avec un ingénieur des mines, emmenant Miranda et Jocelyn avec elle; quelque temps après le beau-père de Ruth s'accommoda d'une femme moins ambitieuse qui ne voyait pas de raison particulière à ce que Ruth vint leur rendre visite. Ruth, après tout, que ce soit de près ou de loin, n'était pas de la famille.

Ces faits, venus à l'attention de Brenda par l'intermédiaire d'Angus, lui firent prendre pitié de la jeune fille.

– Elle a besoin d'une main secourable! assura Brenda.

Quand Brenda passait, Ruth était toujours de garde au standard, tôt, tard ou à l'heure du déjeuner, polie, calme et efficace. Les autres jeunes filles étaient toujours sorties s'acheter des petits foulards, des boucles d'oreilles, de l'ombre à paupières, et tout ça sur leur temps de travail (pas étonnant qu'Angus fasse faillite si souvent); Ruth, jamais.

– Autrefois j'étais un vilain petit canard, déclara alors Brenda à Angus. Je sais l'effet que ça fait.

– Elle n'est pas un vilain petit canard, protesta Angus. Les vilains petits canards se métamorphosent en cygnes.

– Je pense, poursuivit Brenda, qu'il faut à cette jeune fille un vrai foyer, à ce tournant de sa vie. Elle pourrait demeurer chez nous. Je pourrais l'aider à s'arranger et elle pourrait faire un peu de cuisine et de ménage le soir, après le travail, en échange. D'ailleurs j'ai absolument besoin de quelqu'un pour le repassage. Elle paierait aussi son loyer, bien sûr. C'est une fille qui a sa fierté. Disons un tiers de son salaire.

– Il n'y a pas de place, observa Angus.

Ils habitaient une maison minuscule, c'était ainsi qu'ils se sentaient bien. Mais Brenda fit remarquer que lorsque Bobbo était à l'université, sa chambre restait vide tout le trimestre.

– Ça ne va pas, assura-t-elle. Une chambre vide ça ne va vraiment pas.

– Tu as vécu dans de si nombreux hôtels, observa-t-il, tu commences à penser comme un hôtelier. Mais je comprends.

Brenda et Angus pensaient tous deux, sans trop vouloir se l'avouer, que l'enfance et la dépendance de Bobbo duraient déjà depuis un bout de temps, trop longtemps en vérité. Sa chambre devrait dorénavant être libre pour qu'ils en usent à leur gré. La condition de parents ne devrait pas s'éterniser. Et s'ils désiraient occuper la chambre, Ruth la remplirait à merveille.

– Bobbo peut toujours dormir sur le divan, suggéra Brenda. Il est très confortable.

Bobbo fut surpris et contrarié, quand il rentra pour Noël, de se voir offrir le divan comme lit et de trouver ses vieux manuels scolaires délogés du placard pour y faire place aux souliers plats et éculés de Ruth.

– Considère Ruth comme une sœur, conseilla Brenda. La sœur que tu n'as jamais eue!

Or Bobbo nourrissait cette obsession, commune aux enfants uniques, de la fascination pour l'inceste fraternel. Il prit les mots de sa mère comme justification pour réaliser ses fantasmes et se glisser, au beau milieu de la nuit, dans ce qui après tout était son lit. Ruth était chaude, molle et large, le divan glacé, dur et étroit. Elle lui plut. Elle ne se moqua jamais de lui, ne méprisa jamais ses performances sexuelles, comme Audrey Singer, la fille que Bobbo aimait à l'époque. Qu'il ait séduit Ruth, cette énorme montagne complaisante, c'était bien fait pour Audrey, songea Bobbo.

Ce fut un suicide sexuel des plus spectaculaires.

«Tu vois ce que tu as fait! lançait-il en son for intérieur à Audrey. Tu vois où tu m'as poussé! Chez Ruth!» «Tu vois, lançait-il à sa mère en son for intérieur, faisant d'une pierre de multiples coups, tu vois ce qui arrive quand tu me déloges de ma chambre et de mon lit. J'y retourne, sans me soucier de qui s'y trouve.»

Cet arrangement rendit Ruth plutôt heureuse. Elle jubila à l'idée de son amour secret et se sentit guérie, enfin comme tout le monde, simplement plus grande, ce qui, après tout, ne se voyait pas à l'horizontale. Quand, à Noël, la nouvelle femme de son beau-père donna un coup de fil pour demander comment elle se portait, elle put répondre en toute franchise qu'elle se portait à merveille, permettant ainsi au couple sans scrupule de l'oublier pour de bon. Et puis la mère de Ruth écrivit pour signaler que c'était sa toute dernière lettre car son nouveau mari désirait qu'elle abandonne son passé; ils appartenaient désormais à une nouvelle religion merveilleuse qui exigeait la soumission totale de l'épouse à son mari. Dans un pareil consentement, écrivait la mère de Ruth, résidait la paix. Elle lui envoyait sa bénédiction (et celle du Maître aussi, car elle avait été autorisée à le consulter en personne au sujet de Ruth), et se sentait heureuse que Ruth fût désormais adulte et capable de se débrouiller toute seule. Le sort de Miranda et Jocelyn, encore si jeunes, l'inquiétait plus, mais le Maître lui avait assuré que tout se passerait pour le mieux. Cette lettre était un tout dernier adieu plein d'amour.

« Nos parents, observa Bobbo, sont sur terre pour nous éprouver! » La sujétion de Ruth à son égard l'enchantait : la façon dont ses yeux noirs vifs et profonds le suivaient autour de la chambre. Il adorait coucher avec elle; elle était un sanctuaire chaud, sombre, éternel et, si la lumière était allumée, il pouvait toujours fermer les yeux.

– Peut-être vont-ils se marier, confia Brenda à Angus, et déménager tous les deux.

Ruth utilisait bien plus d'eau chaude que Brenda ne l'avait pensé, surtout dans la baignoire. À l'hôtel, l'eau chaude est gratuite, ou du moins le croit-on.

– Ça m'étonnerait, répondit Angus. Un garçon comme Bobbo doit faire un beau mariage, penser à l'argent et aux relations.

– Je n'avais rien de tout ça, remarqua Brenda, et pourtant tu m'as épousée!

Et puis ils s'embrassèrent, impatients d'être enfin seuls tous les deux, débarrassés de la jeune génération.

Bobbo retourna à l'université, passa le dernier de ses examens de comptabilité, rentra chez lui et contracta une hépatite. Ruth découvrit qu'elle était enceinte.

– Ils vont devoir se marier, remarqua Brenda. Je suis beaucoup trop vieille pour soigner un malade.

Ruth, qui dormait sur le divan pendant la maladie de Bobbo, en avait brisé tous les ressorts.

– Mariage! s'écria Bobbo, épouvanté.

– C'est la perle des perles, assura Brenda. Je me demande comment ton père va se débrouiller sans elle. Elle est efficace, consciencieuse et bonne.

– Mais que vont dire les gens?

Brenda fit la sourde oreille et mit la maison en vente. Angus et elle retournaient à l'hôtel, maintenant que Bobbo était tiré d'affaire. Audrey Singer annonça ses fiançailles avec un autre. Bobbo but la moitié d'une bouteille de whisky, fit une mauvaise rechute et épousa Ruth quand elle fut enceinte de cinq mois. L'hépatite est une maladie qui déprime et affaiblit, et il sembla à Bobbo, à l'époque, que sa mère avait raison, une épouse en vaut bien une autre. Le grand avantage de Ruth c'était d'être là.

À la mairie Ruth portait une robe de mariée en satin blanc et Bobbo se rendit compte qu'il s'était peut-être trompé. D'une épouse à l'autre, la différence pouvait être énorme. Il lui sembla entendre les gens ricaner. Dès la naissance du bébé, elle conçut le suivant.

Ensuite Bobbo insista pour qu'elle porte un stérilet, puis chercha des récipiendaires plus adéquats à son affection et à son énergie sexuelle. Avec la disparition des effets de l'hépatite, il les trouva sans beaucoup de mal. Il n'aimait pas se montrer déloyal ni hypocrite, et racontait toujours à Ruth ce qui s'était passé et ce qui se passerait ensuite, en cas de succès. Il lui confia qu'elle était libre, elle aussi, d'avoir des aventures.

– Nous serons un couple libre, lui avait-il annoncé avant leur mariage. Elle était enceinte de quatre mois et encore très sujette aux nausées.

– Bien sûr, répondit-elle. Ça veut dire quoi?

– Que nous devons tous deux vivre nos vies pleinement et toujours nous montrer honnêtes l'un envers l'autre. Le mariage doit encercler nos vies, pas les circonvenir. Nous devons le considérer comme un point de départ, pas une ligne d'arrivée.

Elle acquiesça d'un signe de tête. Parfois, pour ne pas vomir, elle pinçait ses lèvres avec ses doigts. C'est ce qu'elle fit, alors qu'il parlait de liberté individuelle. Il aurait aimé qu'elle s'en dispense.

– L'amour vrai – notre amour familial indestructible – n'est pas possessif, lui expliqua-t-il. La jalousie, comme tout le monde sait, est un sentiment immonde et mesquin.

Elle avait de nouveau acquiescé et avait foncé à la salle de bains.

Bientôt et avec un certain désarroi, il trouva le plaisir de l'aventure accru par l'idée qu'il la raconterait ensuite à sa femme. Il se tenait à l'extérieur de son corps et assistait en spectateur aux épreuves érotiques. L'excitation était plus grande et la responsabilité moindre puisqu'il pourrait la partager avec Ruth.

Ils savaient fort bien, tous deux, que c'était le corps de Ruth qui posait problème. Elle n'y voyait que des difficultés, lui non. Il l'avait épousé, ce corps, par obligation et par erreur, et y accomplirait ses devoirs essentiels, mais jamais il n'accepterait son énormité et Ruth le savait.

Il n'y avait que ses parents pour attendre de lui qu'il se montre fidèle et attentionné, à la manière d'Angus avec Brenda et de Brenda avec Angus. Ils traitaient Bobbo et Ruth comme un vrai couple, pas comme des époux accidentels.

Ruth avait poussé le landau des bébés dans le parc, s'était réconfortée en donnant de petits coups de langue à leurs glaces et avait lu des romans sentimentaux, parmi lesquels ceux de Mary Fisher, et Bobbo avait fait son chemin dans le monde.

Peu de temps après avoir emménagé à Eden Grove, Bobbo avait aperçu Mary Fisher dans la foule d'une soirée qu'il donnait, elle l'avait aperçu et avait susurré...

– Permettez-moi d'être votre cliente.

Et il avait répondu...

– Je vous en prie.

... Et pour Bobbo le passé s'était effacé, même les tourments et les délices avec Audrey Singer. Le présent devint tout puissant et l'avenir chargé de merveilleux et dangereux mystères.

Voici comment débuta cette aventure. Bobbo et Ruth raccompagnèrent Mary Fisher chez elle après la soirée. Mary Fisher avait garé sa Rolls-Royce avec fougue pour ne pas perdre une seconde de plaisir, mais mal, car elle avait bloqué la circulation; pendant qu'elle tanguait et étincelait devant son hôte, la police embarqua le véhicule à la fourrière.

Elle enverrait le lendemain matin, déclara-t-elle, son valet de chambre Garcia récupérer cette idiote de voiture. En attendant, Bobbo et Ruth pourraient-ils la raccompagner puisqu'ils étaient sur son chemin?

– Bien sûr! s'écria Bobbo. Bien sûr.

Ruth pensa que Mary Fisher voulait dire qu'elle était sur leur chemin mais quand Bobbo s'arrêta au coin d'Eden Avenue et Nightbird Drive pour déposer Ruth, elle comprit son erreur.

– Conduisez-la au moins jusqu'à la porte, protesta Mary Fisher, avec une condescendance que Ruth ne lui pardonnerait jamais, mais Bobbo lança en riant...

– Je ne crois pas que Ruth soit du genre à se faire violer. Hein, chérie!

Et Ruth avait répondu, loyale :

– Ça ira très bien, Mlle Fisher. Nous vivons au fond d'une impasse, voilà tout, et repartir en marche arrière est si difficile dans le noir! Et puis nous avons laissé les enfants sans baby-sitter, je dois me dépêcher de rentrer.

Mais ils n'écoutaient pas, alors elle quitta la banquette arrière – Mary Fisher était à l'avant, à côté de Bobbo – et avant que la portière ne claque elle entendit Mary Fisher déclarer :

– Vous ne me pardonnerez jamais. J'habite si loin. Presque sur la côte. En vérité, juste sur la côte.

Bobbo répondit :

– Pensiez-vous que je l'ignorais?

La portière se ferma et Ruth se retrouva plantée dans le noir tandis que la voiture filait et que les puissants feux rouges arrières s'enfonçaient dans l'obscurité. Bobbo ne conduisait jamais comme ça avec elle : vroum, vroum! Et elle n'embêtait jamais Bobbo, ne demandait jamais qu'il l'accompagne ni l'emmène ici ou là faire une course; il en faisait toujours un tel plat quand elle le lui demandait. Comment Mary Fisher avait-elle osé? Et pourquoi son impertinence l'avait-il charmé, et pas offusqué? Il l'a raccompagnée sur la côte tandis que Ruth marchait sous la pluie pour ne pas retarder Bobbo de quinze secondes.

À la maison elle y réfléchit sans fermer l'œil de la nuit. Bien sûr Bobbo ne rentra pas. Le lendemain matin Ruth cria après les enfants et puis elle se dit que ce n'était pas juste de passer son chagrin sur eux. Elle se ressaisit et mangea quatre petits pains grillés avec de la confiture d'abricot quand la maison fut silencieuse et qu'elle se retrouva seule.

Bobbo rentra le soir épuisé, sauta le dîner, alla tout droit se coucher, s'endormit et ne se réveilla qu'à sept heures le lendemain matin. Il déclara : « Maintenant je sais ce qu'est l'amour », puis il se leva et s'habilla en se contemplant dans la glace comme s'il y voyait quelque chose de nouveau. Il s'absenta la nuit suivante et ensuite deux ou trois nuits par semaine.

Parfois il racontait qu'il travaillait tard et passait la nuit en ville; mais parfois, s'il était très fatigué ou fou de joie, il avouait qu'il avait été chez Mary Fisher et il décrivait les invités qu'elle avait eu à dîner – des gens riches et célèbres dont même Ruth avait entendu parler – ce qu'ils avaient mangé, les réparties spirituelles, charmantes et coquines de Mary Fisher, la robe qu'elle avait portée, comment ça s'était passé ensuite quand enfin il avait pu la lui enlever...

– Ruth, confiait-il, tu es mon amie, tu dois me souhaiter bonne chance dans cette histoire. La vie est trop courte. Ne me reproche pas cette expérience, cet amour. Je ne te quitterai pas, ne t'inquiète pas, tu ne mérites pas que l'on te quitte, tu es la mère de mes enfants. Sois patiente, ça passera. Si tu souffres, je suis navré. Mais permets-moi de partager ça avec toi, au moins...

Ruth souriait, écoutait, attendait, mais ça ne passait pas. Les jours de tranquillité, elle se posait des questions sur la nature des femmes qui se soucient si peu des épouses.

– Un jour, déclara-t-elle, il faut que tu m'emmènes dîner à

La Haute Tour. Ne trouvent-ils pas bizarre que ta femme ne soit jamais là?

– Ce ne sont pas des gens pour toi, répondit Bobbo. Des écrivains, des artistes, de ce genre-là. Et de nos jours, les gens à la mode ne se marient pas..

Mais il avait dû transmettre la remarque à Mary Fisher car, quelques temps plus tard, Ruth fut invitée à La Haute Tour. Il n'y avait que deux autres invités : le notaire du coin et sa femme, un couple de vieux. Mary Fisher annonça que les autres s'étaient décommandés au dernier moment mais Ruth ne la crut pas.

Bobbo s'était démené pour empêcher Mary Fisher de lancer cette invitation à Ruth, mais il avait échoué.

– Si elle fait partie de ta vie, mon chéri, observa Mary Fisher, je veux qu'elle fasse partie de la mienne. Je veux la rencontrer en bonne et due forme, pas seulement comme quelqu'un que tu as largué à un coin de rue en pleine nuit. Pas une de mes héroïnes ne l'accepterait! Je vais t'expliquer ce que je vais faire. Ce sera un dîner d'obligation, pas une soirée amusante.

Bobbo demandait parfois à Mary Fisher pourquoi elle l'aimait. Mary Fisher répondait que c'était parce qu'il était un amant et un père, ce qui était interdit et ce qui était autorisé, tout en un, et puis, de toute façon, l'amour était un mystère et Cupidon une tête de pioche. D'ailleurs pourquoi voulait-il le savoir, ne pouvait-il simplement l'accepter?

Bobbo l'accepta. Ruth vint dîner. Elle trébucha et rougit et les poils de sa lèvre supérieure et de son menton captèrent la lumière pendant le dîner; elle avait renversé du vin sur la nappe et dit ce qu'il ne fallait pas, semant la zizanie.

– Ne pensez-vous pas, avait-elle demandé au notaire, que plus il y a de police plus il y a de crimes?

– Vous voulez dire, avait-il corrigé gentiment, plus il y a de police, moins il y a de crimes. Certainement.

– Non, pas certainement du tout, lança Ruth exaltée, en se bavant de la quiche aux épinards sur le menton et Bobbo dut la réduire au silence en lui lançant un coup de pied sous la table.

Bobbo pensait parfois que Ruth était folle. Ce n'était pas seulement qu'elle ne ressemblait pas à tout le monde, mais on ne pouvait pas non plus compter sur elle pour agir comme tout le monde.

Bobbo redoutait que Mary, ayant désormais rencontré Ruth en bonne et due forme, ne soit un peu plus froide envers lui. Ça n'améliorait jamais l'image de personne d'être associé aux infortunés et aux malheureux. L'amour, le succès, l'énergie, la santé, le bonheur, tout ça se mordait la queue, se perpétuait et s'alimentait indéfiniment, mais l'équilibre était précaire. Que l'on change un rayon de la roue et toute la machine risquait de crachoter et s'arrêter. La chance tourne si facilement! Désormais il aimait Mary Fisher, il aimait Mary Fisher, il aimait Mary Fisher, et ses parents étaient venus dîner, et sa femme avait pleuré, fait une scène, jeté le dîner par terre, et elle ne lui plaisait pas du tout. Ruth se dressait entre lui et le bonheur, tel un monolithe. Dans toute l'histoire du mariage avait-il jamais existé un tel monolithisme?

Bobbo avait demandé à Mary Fisher :

– Mary, ne te sens-tu pas coupable d'avoir une liaison avec un homme marié?

Mary avait répondu :

– Alors c'est ce que nous avons, une liaison?

Le cœur de Bobbo avait battu la chamade, terrifié, jusqu'à ce qu'elle ajoute :

– Je croyais que c'était plus. J'ai l'impression que c'est plus que ça! J'ai l'impression que c'est pour toujours.

La joie avait réduit Bobbo au silence et elle avait poursuivi :

– Coupable? Non. C'est l'amour qui commande. Nous sommes tombés amoureux; ce n'est la faute de personne. Ni la tienne. Ni la mienne. Et j'imagine que puisque Ruth n'attend rien de la vie, elle n'aura jamais rien. Nous n'allons pas gâcher nos existences parce qu'elle est née sans talent pour le bonheur. Tu l'as épousée par bonté d'âme et je ne t'en aime que plus mais maintenant mon amour, sois gentil avec moi. Vis avec moi. Ici, maintenant, pour toujours!

– Et les enfants?

– Ils sont la couronne de Ruth et ses joyaux. Ils sont son réconfort. Quelle chance elle a. Je n'ai pas d'enfants. Je n'ai personne à part toi.

Elle disait ce qu'il voulait entendre. C'était enchanteur. Et maintenant il était assis à une table, dans une banlieue, avec sa mère, son père et son passé; il pensait à Mary Fisher, combien elle avait besoin de lui et désirait un avenir. Ruth entra enfin avec la soupière.

Le vaillant sourire de Ruth vacilla au-dessus de la soupe. Ses beaux-parents levèrent les yeux vers elle dans une attente paisible et délicieuse. Ruth considéra les trois poils de chien dans cette mousse grisâtre qu'est une bonne soupe aux champignons, épaissie à la crème fraîche et passée au mixer.

Le chien s'appelait Lasso. Bobbo l'avait acheté à Andy pour

son huitième anniversaire. Ruth s'en occupait. Lasso n'aimait pas Ruth. Pour lui c'était une géante, un affront à l'ordre naturel des choses. Il acceptait la nourriture qu'elle lui donnait mais dormait où elle ne voulait pas, se glissait sous les placards, mordait quand on le caressait, déchiquetait les fauteuils et faisait un boucan d'enfer si on le laissait dans un endroit qui n'était pas à son goût. Il perdait ses poils, volait de la nourriture, dévorait du beurre par paquets entiers (quand il en trouvait) et le vomissait aussitôt. Les dimanches qu'il passait à la maison, Bobbo adorait aller au parc avec Lasso. Andy les accompagnait, père et fils se sentaient heureux, comme tout le monde, bien dans leur peau. Ruth restait au logis, elle ôtait les poils de chien et de chat des diverses sortes de tissu avec une brosse aspirante spéciale à piles. Elle n'aimait pas Lasso.

– Ne laisse pas refroidir la soupe Ruth, recommanda Bobbo, comme si c'était son habitude.

– Des poils! fut tout ce que répondit Ruth.

– C'est un gentil chien bien propre, intervint Brenda. Ça ne nous gêne pas, hein Angus?

– Bien sûr que non, assura Angus, que ça gênait.

Enfant, Bobbo avait toujours voulu un chien et Angus l'en avait toujours privé.

– Alors, tu n'es même pas capable d'écarter le chien de la soupe? siffla Bobbo.

C'était la gaffe à éviter, il le sentit aussitôt. Il essayait bien de ne pas lancer des «tu n'es même pas capable» à Ruth, mais ça lui échappait dès qu'il était en froid avec elle, ce qui ces temps derniers arrivait de plus en plus souvent.

Des larmes montèrent aux yeux de Ruth. Elle reprit la soupière.

– Je vais la filtrer, annonça-t-elle.

– Quelle bonne idée! s'écria Brenda. Tout s'arrange.

– Rapporte cette soupe immédiatement, hurla Bobbo. Ne sois pas stupide, Ruth. Ce n'est pas une catastrophe. Ce sont trois poils de chien. Sors-les de là, c'est tout.

– Mais ça pourrait être ceux du cochon d'Inde, protesta Ruth. Il courait sur l'étagère du buffet.

Des animaux des enfants, c'était le cochon d'Inde qu'elle aimait le moins. Il avait le dos trop voûté et les yeux trop enfoncés. Il lui faisait penser à elle.

– Tu es fatiguée, observa Bobbo. Tu dois être fatiguée, sinon tu ne débiterais pas tant de bêtises. Assieds-toi.

– Laisse-lui filtrer la soupe mon chéri, intervint Brenda, si ça lui fait plaisir.

Ruth arriva jusqu'à la porte puis se retourna.

– Ça lui est bien égal que je sois fatiguée ou non, lança Ruth. Il ne pense plus à moi. Il ne pense plus qu'à Mary Fisher, vous savez, l'écrivain. C'est sa maîtresse.

Bobbo fut choqué par cette indiscrétion, cette déloyauté, mais satisfait aussi. On ne pouvait pas se fier à Ruth. Il l'avait toujours su.

– Ruth, gronda-t-il, c'est tout à fait injuste vis-à-vis de mes parents de les mêler à nos ennuis familiaux. Ça ne les regarde pas. Pour une fois, aie pitié, veux-tu, des pauvres spectateurs.

– Mais ça me regarde, protesta Brenda. Ton père n'a jamais agi ainsi, je ne sais pas où tu as été pêcher ça.

– Veux-tu avoir l'obligeance de respecter ma vie privée, maman, riposta Bobbo. C'est la moindre des politesses après l'enfance que j'ai vécue.

– Et que trouves-tu à redire à ton enfance? demanda Brenda, les joues soudain toutes roses.

– Ta mère a raison, intervint Angus. Je crois que tu devrais lui présenter des excuses. Mais donnant donnant, Brenda, je crois que tu devrais laisser les jeunes régler leurs affaires à leur manière.

– Papa, remarqua Bobbo, c'est exactement ce type d'attitude chez toi qui m'a valu une des enfances les plus effrayantes que puisse vivre un enfant.

Mary Fisher lui avait récemment expliqué les racines de ses maux.

– Je n'ai jamais rendu ta mère malheureuse, protesta Angus. Dis ce que tu veux de moi, mais je n'ai jamais fait souffrir aucune femme exprès.

– Alors je ne peux qu'ajouter, coupa Brenda, que tu l'as fait sans le vouloir.

– Les femmes imaginent toujours un tas de trucs, protesta Angus.

– Surtout Ruth, assura Bobbo. Mary Fisher est une de mes meilleures clientes. J'ai beaucoup de chance de l'avoir dans mes dossiers. Il est vrai que je l'admire en tant qu'artiste – elle a un talent remarquable – et qu'il me plaît de la considérer comme une amie, mais je crains que notre Ruth se montre bien soupçonneuse!

Ruth regarda sa belle-mère, son beau-père, son mari, puis lâcha la soupière pleine de soupe aux champignons qui coula par-dessus la barre métallique séparant le carrelage de la moquette; les enfants et les animaux réapparurent, ameutés par le fracas d'une nouvelle catastrophe. Ruth eut l'impression que Lasso riait.

– Ruth devrait peut-être se sortir d'ici et prendre un travail, suggéra Angus, à genoux par terre, versant à la cuillère de la soupe dans un bol, moins vite pourtant que la moquette ne l'absorbait, si bien qu'il devait presser la cuillère de toutes ses forces dans les poils pour extraire le précieux liquide gris. S'occuper, ne pas laisser divaguer son imagination.

– Du travail, il n'y en a pas, fit observer Ruth.

– C'est ridicule, lança Angus. Quand on veut vraiment travailler, on trouve toujours.

– Ce n'est pas vrai, intervint Brenda. Et l'inflation, la crise et tout ça... Tu n'as pas l'intention de manger ça, hein, Angus?

– L'économie protège du besoin, récita Angus.

Bobbo aurait voulu être loin, très loin, avec Mary Fisher, entendre son rire pétillant, tenir sa main pâle et mettre ses petits doigts un par un dans sa bouche jusqu'à ce que sa respiration s'accélère et qu'elle s'humecte les lèvres du bout de sa langue toute rose.

D'un coup de pied Nicola envoya valdinguer la chatte, qui s'appelait Clémence, la chatte fonça dans la cheminée où elle s'accroupit et chia sa vengeance, Brenda poussa un gémissement et montra Clémence du doigt. Lasso, surexcité, se jeta sur Andy pour se livrer sur lui à des violences quasi-sexuelles, Ruth resta plantée là, une géante, sans lever le petit doigt, et Bobbo se mit en colère.

– Vous voyez comment je dois vivre! hurla-t-il. C'est tout le temps comme ça. Ma femme sème le désordre et la désolation, elle détruit le bonheur de tous!

– Pourquoi refuses-tu de m'aimer? gémit Ruth.

– Comment peut-on aimer, brailla Bobbo, ce qui par essence n'est pas aimable?

– Vous êtes chavirés tous les deux, intervint Angus, abandonnant la soupe à la moquette. Vous travaillez trop.

– C'est beaucoup pour une femme, compatit Brenda. Deux enfants qui grandissent! Et tu n'as jamais été facile à vivre, même enfant, Bobbo.

– J'étais parfaitement facile à vivre, hurla Bobbo. Tu ne supportais pas de t'occuper de moi, c'est tout.

– Viens, Brenda, souffla Angus. Moins on en dit, mieux ça vaut. Allons dîner au restaurant.

– Excellente idée, cria Bobbo, puisque ma femme a déjà balancé le plat de résistance par terre.

– Ne nous mettons pas en colère, conseilla Brenda. À Los Angeles on construit des maisons sans cuisine parce que personne ne s'ennuie à cuisiner. Et on a bien raison.

– Mais j'ai passé toute la journée à préparer ce repas, sanglota Ruth. Et maintenant personne ne va le manger.

– Parce qu'il est immangeable! hurla Bobbo. Pourquoi suis-je toujours entouré de femmes qui ne savent pas cuisiner?

– Je te passe un coup de fil demain matin, ma cocotte, souffla Brenda à Ruth. Prends un bon bain et couche-toi tôt. Tu te sentiras mieux.

– Je ne te pardonnerai jamais ta grossièreté envers ma mère, lança Bobbo à Ruth, glacial, assez fort pour que sa mère l'entende.

– Surtout ne va pas mettre tout ça sur son dos, rétorqua Brenda, fine mouche. C'est toi qui as été grossier, pas elle. Je suis une excellente cuisinière, ça ne m'amuse pas, c'est tout.

– Le mariage, c'est pas si facile, observa Angus en enfilant son manteau. C'est comme d'être parents, il faut se donner du mal. Bien sûr, d'habitude, il y en a un des deux qui en fait plus que l'autre.

– Tu l'as dit! souligna Brenda en tirant sur ses gants.

Elle voyait trouble; elle avait oublié de mettre du déodorant sous son bras droit et son joli corsage ocre commençait à se marquer à l'aisselle d'une unique et sombre auréole de transpiration.

– Et maintenant tu vois ce qui se passe? s'en prit Bobbo à Ruth. Tu as semé la zizanie entre mes parents! Dès que tu vois du bonheur, il faut que tu le détruises. Voilà la femme que tu es.

Brenda et Angus partirent. Ils descendirent l'allée côte à côte mais sans se toucher. Les querelles familiales, c'est contagieux. Les couples heureux ont raison d'éviter la compagnie des couples malheureux.

Ruth se réfugia dans la salle de bains et poussa le verrou. Andy et Nicola sortirent la mousse au chocolat du frigo et se la partagèrent.

– Ça serait bien fait pour toi si je partais voir Mary, siffla Bobbo à Ruth, par le trou de la serrure. Tu nous as joué un sale tour ici, ce soir! Tu as chamboulé mes parents, tu as chamboulé tes enfants, et tu m'as chamboulé. Même les animaux en ont souffert. Je te vois enfin telle que tu es vraiment. Un être de troisième ordre. Tu es une mauvaise mère, une épouse pire encore et une épouvantable cuisinière. Tu veux que je te dise, tu n'es pas une femme. Tu es une diablesse!

À ces mots, Bobbo eut l'impression de sentir un changement dans la qualité du silence qui régnait de l'autre côté de la porte. Il pensa qu'il avait peut-être secoué Ruth au point qu'elle s'apprêtait à lui faire de plates excuses, mais il eut beau frapper et cogner à la porte, elle ne sortit pas.

7

Ah! Je vois. Je me croyais une bonne épouse poussée à bout provisoirement et à juste titre, mais non. Il prétend que je suis une diablesse.

Il doit avoir raison. En vérité, puisqu'il réussit si bien dans le monde et moi si mal, je dois admettre qu'il a raison. Je suis une diablesse.

Mais c'est formidable! C'est grisant! Si l'on est une diablesse on a aussitôt les idées claires, le moral remonte. Il n'y a ni honte, ni culpabilité, ni efforts assommants pour faire son devoir. Il n'y a, au bout du compte, que ce que l'on veut. Et ce que je veux, je l'aurai. Je suis une diablesse!

Mais je veux quoi? Bien sûr, c'est peut-être un problème. Les tergiversations et les hésitations sur ce sujet précis peuvent durer toute une vie – et c'est le cas pour la plupart des gens. Mais certainement pas chez les diablesses. Le doute ronge la bonne âme, pas la mauvaise.

> Je veux me venger.
> Je veux du pouvoir.
> Je veux de l'argent.
> Je veux être aimée et ne pas aimer en échange.

Je veux donner un visage à la haine. Je veux que la haine

chasse l'amour, et je veux suivre la haine là où elle mène, et puis quand j'en aurai tiré tout ce que je veux, pas une seconde avant, je la dominerai.

Je regarde mon visage dans la glace de la salle de bains. Je veux voir quelque chose d'autre.

J'ôte mes vêtements. Je reste plantée là toute nue. Je veux être transformée.

Rien n'est impossible pour les diablesses.

Décortiquez l'épouse, la mère, trouvez la femme, la diablesse est devant vous.

Merveilleux!

Ça brasille. Ce sont mes yeux? Ils brillent tellement qu'ils illuminent la pièce.

8

Une fois Angus et Brenda disparus dans le crépuscule, leur joyeuse humeur réduite à zéro, quand les enfants eurent englouti toute la mousse au chocolat, que la chatte Clémence eut fini de ronger la moquette imbibée de soupe, que Lasso le chien eut régurgité la mousse d'avocats des voisins sous la table de la cuisine, quand Ruth se fut enfermée dans la salle de bains où elle changeait sa nature profonde, Bobbo prépara sa valise d'homme d'affaires. Elle était en cuir véritable brun-rouge avec des garnitures de cuivre et inutilement lourde.

– Où vas-tu? s'enquit Ruth, en sortant de la salle de bains.

– Je te quitte. Je vais vivre avec Mary Fisher, répondit Bobbo, le temps que tu apprennes à mieux te conduire. Je ne supporte pas ces scènes et ces bouderies pour un rien.

– Combien de temps? demanda Ruth au bout d'un moment, mais Bobbo ne se donna pas la peine de répondre.

– Et pourquoi? demanda-t-elle. C'est vraiment la question, pourquoi?

Mais la réponse, elle la connaissait. Parce que Mary Fisher mesurait 1 mètre 62, qu'elle gagnait sa vie, n'avait pas d'enfant, pas d'animaux de compagnie à part un genre de cacatoès, ne griffait pas l'air de désespoir et qu'on pouvait l'emmener partout sans rougir. Et c'était sans compter le pouvoir et le mystère de l'amour que cette vilaine petite Mary Fisher allumait dans la poitrine de Bobbo.

– Et moi alors? demanda Ruth.

Ces mots filèrent dans l'univers rejoindre une myriade d'autres «et moi, alors?» prononcés par une myriade d'autres femmes, abandonnées ce même jour par leur mari.

– Et toi, alors? répéta Bobbo, la question sans réponse par excellence. Je t'enverrai de l'argent, eut-il la bonté d'ajouter en mettant ses chemises dans sa valise – elles étaient si bien repassées et pliées avec tant de soin qu'il ne rencontra aucune difficulté. Tu ne verras pas la moindre différence que je sois ici ou non. C'est tout juste si tu t'occupes de moi quand je suis ici, quant aux enfants, n'en parlons pas.

– Les voisins la verront, la différence, insista Ruth. Ils me parleront encore moins qu'avant. Ils sont convaincus que le malheur est contagieux.

– Ce n'est pas tout à fait un malheur, corrigea Bobbo. Ce n'est que la conséquence de tes actes. De toute façon, je serai bientôt de retour, j'imagine.

Ce ne fut pas l'avis de Ruth car il emporta aussi sa grande valise en toile verte et ses cravates pour les grandes occasions.

Puis il s'en alla et Ruth resta seule, plantée sur la moquette vert automne entre des murs avocat. À l'aube le soleil se leva et darda ses rayons obliques à travers les fenêtres panoramiques, il était évident qu'elles avaient besoin d'être nettoyées et que Ruth ne les nettoierait pas.

– M'man, ronchonna Nicola, les vitres sont sales.

– Si ça ne te convient pas, lança Ruth, fais-les.

Nicola s'en garda bien. Bobbo téléphona du bureau à midi pour annoncer qu'il avait demandé Mary Fisher en mariage et qu'elle avait répondu oui, il ne reviendrait donc pas. Il trouvait juste d'en avertir Ruth afin qu'elle puisse s'organiser de son côté.

– Mais... bredouilla Ruth.

Il raccrocha. Récemment les lois sur le divorce avaient été libéralisées, le consentement mutuel n'était plus indispensable pour obtenir la dissolution du mariage.

– M'man, demanda Andy, où est papa?

– Parti, répondit Ruth, et Andy ne fit pas de commentaire.

La maison était au nom de Bobbo. Son achat n'avait été possible que grâce à l'aide d'Angus et Brenda, après tout. Ruth s'était mariée sans rien à elle. Sauf sa taille et sa vigueur, et ça elle les avait toujours.

– Et le déjeuner? demanda Nicola au bout d'un moment.

Mais il n'y en avait pas. Alors elle tartina du beurre de cacahuètes sur du pain en tranches et le distribua à la ronde. Elle utilisa le couteau à pain pour sortir le beurre de cacahuètes du pot, se coupa le doigt, et une fine dentelle de sang orna la tranche terminée. Mais personne ne broncha. Ils mangèrent en silence.

Nicola, Andy et Ruth avalèrent leur nourriture assis devant la télévision. Ainsi mangent les petits groupes, femmes et enfants, quand le monde s'écroule.

Au bout d'un moment Ruth marmonna quelque chose.

– Qu'est-ce que tu as dit? demanda Nicola.

– Plaquée, articula Ruth. C'est le sort des femmes quelconques et vertueuses. Elles se font plaquer.

Nicola et Andy levèrent les yeux au ciel. Elle était folle. Leur père l'avait assez souvent répété. « Votre mère est folle », assurait-il.

Le lendemain Nicola et Andy allèrent à l'école.

Quelques jours plus tard Bobbo téléphona pour signaler qu'en attendant il laisserait Ruth et les enfants habiter la maison, bien que de toute évidence elle soit trop grande pour eux. Quelque chose de plus petit leur conviendrait beaucoup mieux.

– En attendant quoi? demanda-t-elle, mais il ne répondit pas.

Il annonça qu'il lui verserait 52 dollars par semaine jusqu'à nouvel ordre, vingt pour cent de plus que le minimum légal. Grâce à la nouvelle législation qui faisait enfin une meilleure part aux secondes épouses, il n'avait qu'à subvenir aux besoins de ses enfants. On attendait des premières épouses en bonne santé qu'elles se débrouillent comme des grandes.

– Ruth, dit Bobbo, tu es très grande. Tout se passera bien.

– Mais ça coûte au moins 165 dollars par semaine de tenir la maison, protesta Ruth.

– Voilà pourquoi il faudra la vendre, conclut Bobbo. Mais n'oublie pas qu'en mon absence les dépenses diminueront. Les femmes et les enfants ne consomment pas autant que les hommes, les statistiques le prouvent. En plus, les enfants vont maintenant à l'école, ce sont presque des adultes, il est temps que tu te remettes à travailler. Ce n'est pas bon pour une femme de moisir chez elle.

– Mais les enfants tomberont forcément malades, il y a sans arrêt des vacances scolaires, et du travail, il n'y en a pas.

– Du travail, si on en cherche, on en trouve, assura Bobbo. C'est bien connu.

Il appelait de La Haute Tour. Dans un coin de la grande pièce Mary Fisher courbait son cou gracile et écrivait des mots charmants sur la nature de l'amour.

«Il avança brusquement la main et elle sentit le bout de ses doigts lui effleurer la peau de façon provocante, atteindre sa bouche veloutée et frémissante», écrivit Mary Fisher, et puis Bobbo posa le téléphone, elle posa son stylo, ils s'embrassèrent et scellèrent leur avenir commun.

9

Mary Fisher habite La Haute Tour avec mon mari, Bobbo, elle écrit sur la nature de l'amour et ne voit pas pourquoi tout le monde ne serait pas heureux.

Pourquoi devrait-elle penser à nous? Nous sommes faibles, pauvres, insignifiants. Nous ne sommes même pas tout le monde.

Parfois, sans doute, Bobbo s'éveille au milieu de la nuit; elle lui demande ce qui ne va pas, alors il avoue qu'il pense aux enfants, mais elle dit qu'il a eu raison de couper les ponts, de ne plus les voir et il la croit parce qu'Andy et Nicola ne sont pas le genre d'enfants qui font vibrer les cordes sensibles, surtout pas à quelqu'un dont les jambes poilues se nouent aux petites jambes soyeuses de Mary Fisher.

Et si jamais il avoue : «Je me demande comment va Ruth», elle stoppe le mouvement de ses lèvres avec une bouchée de saumon fumé, une gorgée de champagne, et assure : «Ruth fera son chemin dans le monde. Après tout, elle a les enfants. Pauvre de moi, je n'en ai pas! Je n'ai que toi, Bobbo.»

Mes deux enfants vont et viennent, tirent de moi leur nourriture, me bousculent, mais je n'ai rien à leur donner. Comment le pourrais-je? Les diablesses ont la mamelle sèche. Ça prend un certain temps de devenir diablesse à cent pour cent. On se sent d'abord complètement épuisée, je peux vous l'assurer. Les racines du remords et de la bonne éducation plongent loin dans la chair vive; impossible de les extraire en douceur, il faut les arracher et la chair vient avec. Parfois la nuit je hurle si fort que je réveille les voisins. Rien ne réveille jamais les enfants.

À la fin j'ai tiré l'énergie de la terre. Je suis allée dans le jardin et j'ai retourné le sol avec une fourche, la force est passée dans mes orteils, a remonté mes mollets rétifs et s'est logée dans mes reins de diablesse – une démangeaison, une exaspération. Il fallait mettre un terme à l'attente, le temps de l'action était venu.

10

Carver habitait une cabane sur le stade d'Eden Grove dont il était le gardien. Il avait passé la soixantaine, était barbu et ridé mais il avait l'œil vif. La peau de ses bras était rouge et rugueuse mais, au-dessus de son ventre, elle s'étendait blanche, fine et tendue. La cabane se dressait à l'intersection des tennis et de la piste de course; c'était là que Carver était censé ranger les tondeuses et les rouleaux, et exercer, de jour, ses devoirs de surveillance. Désormais il y restait aussi la nuit, couché sur un matelas de mousse, sous une couverture crasseuse, dormant parfois, le plus souvent éveillé. Il était employé municipal – moitié œuvre de charité, moitié utile. Il signalait les essaims d'abeilles, chassait les enfants et les amoureux.

On racontait que Carver souffrait de lésions cérébrales depuis qu'il avait sauvé un enfant de la noyade sur une lointaine plage. C'était pourquoi les bonnes dames d'Eden Grove, quand elles présentaient leur pétition pour le faire remplacer, demandaient sa retraite anticipée plutôt qu'un renvoi immédiat et une disgrâce officielle. Épouses et mères passaient forcément devant le stade sur le chemin des courses et de l'école, elles pressaient le pas et détournaient les yeux. Parfois Carver se contentait de les lorgner, parfois c'était l'outrage à la pudeur. Personne ne l'avait jamais vu faire mais tout le monde connaissait quelqu'un qui...

Carver regarda Ruth descendre la rue. Il aima l'éclat de ses yeux sombres, il apprécia sa démarche pesante. Elle ne trottinait pas, comme les autres épouses et mères, sur de petits talons. Ses souliers étaient plats, peut-être parce que ses pieds étaient trop grands pour tenir dans quoi que ce soit d'un peu sophistiqué. Carver savait fort bien qu'un jour elle entrerait prendre une tasse de thé. Il savait à l'avance qui le fréquenterait de près et que tout ce qu'il avait à faire – tout ce que n'importe qui avait à faire – une fois repéré un futur partenaire, c'était attendre. L'amour, il l'avait toujours su, n'était rien d'autre que la connaissance anticipée des joies et des peines.

Carver savait comment désirer, mais ne pas désirer trop; il savait comment espérer, mais pas trop violemment; comment attendre, mais pas trop longtemps. Carver aimait aller à la dérive porté par le destin avec un coup de pouce par-ci, un coup de pouce par-là, un petit revirement inattendu, poisson dans le flot bouillonnant du temps.

– Entrez prendre une tasse de thé, lança-t-il sur le passage de Ruth, planté tout contre la clôture du terrain de tennis. Elle entra.

Ruth but son thé dans une tasse ébréchée. On était en été mais un poêle à bois en fer ronflait au fond de la cabane. Ils s'assirent devant côte à côte, comme si c'était l'hiver. Des journaux faisaient un tapis sur le sol. Ils étaient assis si près l'un de l'autre que leurs corps se touchaient. Elle était deux fois plus grande que lui mais ça ne semblait pas compter. Ses yeux brillaient. Il lui en fit la remarque.

– Ils brillent quand je sais ce que je veux, répondit-elle.

– Qu'est-ce que c'est que vous voulez?

De l'argent ou du sexe, il le savait à l'avance; c'étaient les deux choses les plus importantes dans la vie.

– Toi, dit-elle.

Le bras de Carver s'enroula autour de l'épaule de Ruth. Son visage s'enfonça dans une série de mentons maigrelets. Des yeux chargés d'ans plongèrent dans ses prunelles. Il comprenait un certain genre de femmes, il en avait reçu plus que sa part, en son temps, dans sa remise au bout des terrains de tennis. Des bonnes épouses de banlieue, vêtues avec soin et bien lavées, en quête de quelque chose qui surpasse la dégradation, qui touche au mysticisme, entrant en trottinant dans sa remise. Des hommes et des femmes, pour des amours provisoires et désapprouvées, qui bondissaient et frétillaient dans les fleuves du temps. Rien de mal à ça. Celle-ci était différente; elle avait une autre raison qu'il ne comprenait pas.

Elle avait des verrues sous le menton avec des poils piqués dedans. Bon, lui il avait des poils qui lui sortaient des narines. Ses seins étaient comme des coussins. Il posa sa vieille tête dessus. Elle sourit. Il ne s'inquiétait pas de ses prouesses sexuelles. L'érection, c'était une angoisse de jeune homme; les doigts et les mains, pour elle, ça ferait aussi bien l'affaire. Mais quand le moment fut venu il trembla et pleura, invité refoulé à la porte par sa propre culpabilité, retenu dans le froid quand tout était doux et chaud à l'intérieur.

– J'peux pas, pleurnicha-t-il. Ça va pas. Pourquoi vous êtes là?

– C'était le premier pas, répondit-elle. Le manquement au premier règlement.

– Mais quel règlement?

Les règlements, il connaissait. Il y avait un tableau d'affichage couvert de règlements à chaque entrée du stade. Carver avait du mal à les lire. Autrefois il y arrivait, maintenant c'était fini.

– La discrimination.

Elle eut un rire rauque; il aima ce rire et s'améliora.

Carver eut une vision. Carver s'éleva au-dessus de nuages tumultueux, déboucha dans l'espace. Carver vit Ruth debout au cœur d'un univers différent, nue avec un corps de miel. Autour d'elle dansaient au ralenti de nouvelles étoiles. Il buvait à sa source, comprit-il, il enfouissait sa tête dans la chair et elle embaumait non pas les liqueurs naturelles de la création mais l'existence même. Il n'était pas assez fort pour ça. Il était fait pour le monde ancien, pas le nouveau.

C'était un pauvre vieillard qui tremblait d'amour et de désir, les yeux révulsés, blancs. Des décharges électriques crépitèrent dans son cerveau, l'affaiblissant comme elles l'avaient toujours fait, depuis le début. Les visions épuisent la chair usée. Il était à genoux. Il tomba.

Ruth regarda avec stupeur le corps sur le sol. Carver avait une crise, elle était désolée mais elle n'y pouvait pas grand-chose.

Ruth était contente d'elle. Ce vieux en transe et elle avaient bâti entre eux un soubassement en croisillons sur lequel les nouvelles fondations de son existence se poseraient, comme le tissu des fauteuils se pose sur des sangles. Les sangles étaient la douleur et le plaisir, l'humiliation et l'exultation, la transfiguration et la dégradation, bien acceptés – la construction supporterait un poids stupéfiant, des tensions stupéfiantes. Il restait encore des fissures, ici et là, où elle risquait de glisser. Il lui faudrait se méfier.

L'écume aux lèvres et les tremblements disparurent. Carver gisait dans la chaleur de ses excréments, paisiblement endormi. Ruth prit les cigarettes dans le paquet ouvert sur la table, les glissa dans la poche de son manteau et partit. Elle s'en alla vers la grande rue acheter encore du beurre de cacahuètes, des prises multiples et commander un taxi pour le lendemain matin – une grosse femme quelconque en souliers plats, un cabas à la main, censée être satisfaite de son sort.

11

Voyons! Avec qui a couché Mary Fisher à La Haute Tour? Sans doute pas grand monde. Elle est trop délicate. Certainement pas le jardinier, sinon il aurait les pouces plus verts, une paye plus généreuse.

Peut-être autrefois un milliardaire ou deux, ou un éditeur pour l'aider à faire son chemin. Ils ont dû poser leur tête puissante et grisonnante à côté de la sienne, sur les oreillers de plumes pastels.

Garcia, c'est autre chose. Je crois qu'elle s'en contente quand la nuit est froide et solitaire, ou que l'inspiration tarit et que les phrases butent et hésitent sous sa plume. Alors je crois qu'il se glisse dans son lit et en elle. Quand je me suis pris les pieds dans le tapis j'ai surpris un éclair de compréhension entre eux deux, une complicité. Bobbo d'abord, Garcia ensuite. Bobbo ne va pas apprécier.

Je souhaite que Bobbo et Garcia soient frappés d'impuissance, et puis aussi le jardinier car il est incapable de soigner un arbre aussi simple que le peuplier pour qu'il pousse droit et vigoureux. Tel maître, tel arbre – ce souhait est peut-être inutile.

Je souhaite que Mary Fisher attrape le muguet, comme ça. Je peux peut-être verser un bouillon de culture dans les tuyaux du chauffage central et en vaporiser partout, qu'il y en ait tout autour quand elle s'allonge dans les bras de Bobbo sur le long sofa blanc. Qu'elle suppure, qu'elle pourrisse. Je n'ai fait l'amour qu'avec deux hommes : Bobbo et Carver. J'ai préféré Carver. Bobbo me volait ma force, mais j'ai volé celle de Carver.

J'ai peur. Je suis une étrangère, je n'appartiens ni aux rangs des gens respectables ni à ceux des damnés. Même les putains de nos jours doivent être belles. Moi, je fais la paire avec un vieillard épileptique et faible d'esprit. Je l'accepte et du coup j'ai perdu ma place, mon siège autour de l'immense salle de bal où des millions de filles qui font tapisserie sont assises, depuis l'aube de l'humanité, à regarder, admirer, sans jamais entrer dans la danse, sans jamais rien demander, en évitant les humiliations, mais sans jamais perdre espoir.

Un jour, nous nous en doutons, un chevalier à l'armure étincelante arrivera au grand galop et devinera la beauté de l'âme, il fera monter la damoiselle en croupe, posera une couronne sur sa tête et elle sera reine.

Mais il n'y a pas de beauté dans mon âme, plus maintenant; je n'ai pas de place, donc je dois m'en faire une, et comme je ne peux pas changer le monde, c'est moi que je changerai.

Je suis revigorée. La connaissance de soi et la raison coulent dans mes veines – le sang lent et glacé de la diablesse.

12

Le samedi matin Ruth prépara un vrai petit déjeuner pour Andy et Nicola. Elle utilisa tous les œufs qui auraient dû durer jusqu'au jeudi – le jour où on livrait les œufs frais à l'épicerie – et tout le bacon de la maison. Elle trouva du pain en tranches au fond du congélateur et fit des toasts. Elle mit du beurre sur la table au lieu de la margarine et demanda aux enfants de finir tout un demi-pot de miel. Ils levèrent vers elle des yeux méfiants et mangèrent.

Ruth, pour sa part, avait perdu l'appétit. Elle but du café noir tout frais; elle avait râclé les grains de café dans la glace pelucheuse qui couvrait le fond du congélateur.

Elle donna à Lasso une livre entière de beurre à manger et ne le suivit pas dans la maison pour voir où il vomissait. Elle imagina que ce serait sous le grand lit où elle couchait si souvent seule. Elle avait laissé la porte de la chambre ouverte, ce qu'elle ne faisait jamais par crainte de Lasso et de Clémence. Elle donna à Clémence deux boîtes de sardines pleines, destinées à la consommation humaine.

À Richard, le cochon d'Inde, elle ne donna rien. Il avait grignoté le devant de trop nombreux pulls en laine et percé trop de trous dedans, et elle ne trouva plus en elle la moindre parcelle de sollicitude pour lui. Pourquoi Richard serait-il gâté, quand elle ne l'était pas?

Après le petit déjeuner Ruth laissa la vaisselle sale telle quelle et demanda aux enfants de fouiller la maison pour y trouver de l'argent. Ils regardèrent sous les bords des tapis et dans les fentes où la cuisinière s'accolait au frigo, dans la bouillasse au fond de leur coffre à jouets et derrière leurs livres sur les étagères, entre les piles de dessins d'enfants en haut des placards et au fond des penderies et, bien sûr, dans les creux des divans et des fauteuils. Ils trouvèrent en tout 6,23 dollars en menue monnaie.

– Maintenant, déclara Ruth, vous allez chez MacDonald's et vous achetez ce qui vous fait plaisir : des Big Macs, des Super Macs, des filets de poisson frit, des chaussons aux pommes et autant de milk-shakes que vous voudrez, à condition que vous soyez de retour ici à onze heures pile. Ni plus tôt, ni plus tard.

– Y a pas assez, grogna Nicola.

– C'est tout ce que j'ai, répondit Ruth. Je vous ai donné tout ce que j'avais à donner, ne l'oubliez pas. Et je n'ai jamais eu que les miettes et les fonds de tiroirs.

Ils ne comprirent pas, d'ailleurs ça leur était égal, et ils partirent en ronchonnant chez MacDonald's.

L'été avait été long et chaud. Le soleil était déjà haut dans le ciel et faisait disparaître le peu d'humidité que la nuit avait laissée. Mais un bon petit vent soufflait.

Ruth parcourut la maison comme il sied à une bonne ménagère par ce temps-là et ouvrit toutes les fenêtres. Elle entra dans la cuisine, versa une bouteille entière d'huile dans la friteuse, jusqu'à rabord, et alluma le gaz à petit feu en dessous. Elle jugea qu'il faudrait vingt minutes pour que l'huile atteigne le point d'ébullition. Elle arrangea les rideaux de la cuisine afin qu'ils pendent, ainsi que l'avait voulu l'architecte, tout contre la cuisinière. Elle brancha tous les appareils électriques de la maison – sauf les lampes, qui risquaient d'attirer l'attention des voisins – à l'aide des prises multiples achetées tout exprès. Machine à laver la vaisselle, machine à laver le linge, séchoir, ventilateur, climatiseur, trois postes de télévision, quatre jeux électroniques, deux convecteurs, une chaîne hi-fi, machine à coudre, aspirateur, mixeur, trois couvertures électriques (une très vieille) et le fer à vapeur. Elle les régla tous au maximum et tourna tous les interrupteurs. La maison vrombit et au bout d'un moment une vague odeur de caoutchouc brûlé emplit l'air. Ce genre de bruits et d'odeurs n'avaient rien d'extraordinaire à Eden Grove un samedi matin; à peine plus prononcés que d'habitude, ils flottaient au-dessus de Nightbird Drive.

Ruth revint à la cuisine et tourna le bouton du four, puis elle s'agenouilla et y plongea l'allume-gaz qui, si on appuyait dessus au moins neuf ou dix secondes, chauffait au rouge un serpentin métallique enflammant le gaz dans le four. Cet appareil avait toujours été agaçant. Ce matin elle appuya sur l'allume-gaz huit secondes seulement. Puis elle ôta son doigt et ferma la porte du four sans vérifier si la flamme avait pris.

Elle entra dans la chambre d'Andy. Il avait dessiné et laissé traîner par terre une soixantaine de feuilles de papier et une trentaine de feutres, la plupart sans capuchon. Elle tira son fauteuil-poire, rempli de billes en mousse de polystyrène, devant le chauffage électrique qu'il aimait allumer juste avant d'aller dormir les nuits où il faisait frisquet. Les murs étaient couverts d'affiches et de fanions.

Elle entra dans la chambre de Nicola et vit qu'elle n'était pas seulement jonchée de papier mais que Nicola avait essayé de faire trois oreillers de plumes avec une vieille couette déchirée. Elle renversa une bouteille de white-spirit que Nicola avait mal rebouchée.

Le bureau de Bobbo, à l'arrière de la maison, moins en vue des voisins, disparaissait sous les paperasses. Ruth avait fouillé les tiroirs, triant ce qui appartenait à chacun, séparant leurs vies. Deux grandes corbeilles à papier débordaient et il y avait deux sacs en plastique noir – de ceux qui sont bon marché mais se déchirent facilement – bourrés de documents périmés, de factures et de lettres, posés contre le bureau, attendant d'être sortis de la maison. Ruth tira les rideaux pour empêcher le soleil d'entrer, s'assit au bureau de Bobbo et alluma une des cigarettes qu'elle avait prises sur la table de Carver. Elle l'alluma avec maladresse, n'étant pas une fumeuse, n'y prêta pas beaucoup d'attention et, quand elle en eut fumé la moitié, elle l'écrasa et la jeta dans la corbeille à papier au bas des rideaux. Elle l'écrasa négligemment et la cigarette continua à se consumer. Comment savoir, quand on n'est pas fumeur? La plupart des feux, une fois étouffés, s'éteignent et restent éteints.

Puis Ruth quitta la pièce en laissant la porte ouverte. Un courant d'air frais s'y engouffra. Elle retourna à la cuisine où l'huile commençait à bouillonner et, après avoir réfléchi un petit instant, appela avec indulgence Lasso et Clémence, que cette attention alarma tant que Lasso chercha refuge sous le grand lit dans la chambre principale et que Clémence s'oublia dessus, dans son habituel cocktail de vengeance et de peur.

Ruth ignora coups de griffes et coups de dents et sortit les deux animaux de la maison. Elle oublia le cochon d'Inde. Il avait mérité cet oubli. Elle tira le matelas double hors du lit, le hissa sur la rambarde du balcon de la chambre et le laissa tomber dans le jardin de côté, sur lequel donnait sa voisine Rosemary.

Ruth se mit à arroser le matelas au jet. Rosemary regarda par-dessus la clôture basse. Elle était en bigoudis.

– Qu'est-ce que tu fabriques, Ruth? demanda-t-elle.

– Sales bêtes, expliqua Ruth. C'est ça ou acheter un matelas neuf. Tu sais comment sont les chats!

– Pas s'ils sont coupés, précisa Rosemary, et elle retourna à l'intérieur.

Elle réapparut au bout d'un moment et demanda :

– Ça ne sentirait pas le brûlé?

– Non, répondit Ruth. S'il y a quelque chose qui sent, c'est ce matelas.

Rosemary rentra de nouveau et ressortit presque aussitôt.

– Tu es sûre qu'il n'y a pas un genre d'incendie quelque part? insista-t-elle. Ce n'est pas de la fumée derrière la maison?

– Bon sang, s'exclama Ruth, je crois que tu as raison.

À ce moment-là la cuisine explosa. Il était dix heures du matin, exactement. Les deux femmes coururent téléphoner aux pompiers et à la police de chez Rosemary.

– Dieu merci, les enfants sont sortis! s'écria Rosemary. Où sont-ils?

– Chez MacDonald's, répondit Ruth, et Rosemary, même dans un moment pareil, prit un air désapprobateur.

Ruth pleura, gémit et se cramponna à sa voisine. Les fumées

noires du polystyrène en feu empêchèrent les pompiers de sauver à temps Richard, le cochon d'Inde. Ils lui apportèrent son corps flasque extrait trop tard de la paille rougeoyante.

– Il n'a pas souffert, assura un pompier, la fumée l'a tué avant.

– Mais je l'aimais, je l'aimais, cria Ruth, et le commissaire pensa, pauvre géante, il fallait bien qu'elle aime quelque chose et maintenant elle n'a plus rien.

– On devrait interdire ces nouveaux matériaux en mousse, reprit le pompier. Ça arrive tout le temps. Une seconde avant la maison est là, la seconde d'après elle a disparu.

Ça paraissait leur faire plaisir. Leurs lances semblaient tout bonnement empirer les choses. Des nuages de fumée s'élevaient en volutes au-dessus d'Eden Grove, masquant le soleil dans Nightbird Drive. Des voisines, beaucoup en bigoudis, se rassemblèrent, se cramponnèrent les unes aux autres, chuchotèrent.

– Un malheur n'arrive jamais seul, observèrent-elles. Pauvre Ruth, que va-t-elle devenir? Pas de mari, pas de maison et plus de cochon d'Inde!

Mais au fond de leur cœur elles se réjouissaient de la voir partir. Elle ne s'était jamais vraiment intégrée. Quand elle invitait à déjeuner il y avait toujours des anicroches, et puis Andy regardait sous les jupes des petites filles et on racontait que Nicola volait. Les voisines offrirent le thé aux pompiers qui ôtèrent leurs bottes et leur casque et assirent leurs beaux corps enfumés sur des divans de polystyrène pastels; quand les enfants et les maris étaient absents, dans un ou deux cas, ils firent un petit tour par la chambre à coucher. Le feu, le danger et les catastrophes sont de puissants aphrodisiaques.

– C'est donc vous la maîtresse de maison, lança le type des assurances. Il arriva à onze heures moins cinq pour inspecter les lieux et déterminer les responsabilités. Il avait été informé de l'incendie par les policiers. Ceux-ci signalaient tous les incendies domestiques immédiatement. Ils avaient été trop nombreux ces derniers temps.

– C'était moi, balbutia Ruth, à travers ses larmes.

– Bravo, c'est comme ça qu'il faut réagir! Souvenez-vous que nous sommes ici pour vous aider. Faut faire une croix dessus, si vous voulez mon avis. Mais il n'y a pas eu mort d'homme, c'est le principal.

– Il y avait le cochon d'Inde, se lamenta Ruth.

– Nous vous aiderons à en acheter un autre, promit-il. Ou du moins soixante pour cent d'un autre. À moins, bien sûr, qu'il y ait eu négligence. J'ai jeté un coup d'œil à votre dossier avant de venir.

Il lui offrit une cigarette.

– Vous fumez?

Elle l'accepta.

– Merci. Je fume comme un pompier depuis que mon mari m'a quittée. Vous savez ce que c'est. Les nerfs.

– Et si ça avait commencé comme ça? Une cigarette mal éteinte dans une corbeille à papiers. Ça prend comme un rien.

– C'est bien possible, reconnut Ruth. En fait, maintenant que j'y pense, je triais des papiers dans le bureau de Bobbo et j'ai fondu en larmes... Oh! Elle plaqua une main sur sa bouche. Qu'est-ce que j'ai raconté là?

– La vérité est toujours préférable, déclara-t-il, très occupé à écrire.

– Oh, non, non! gémit Ruth. Que va dire ce pauvre Bobbo?

À onze heures Andy et Nicola arrivèrent, ravis de leur second petit déjeuner et de leur ponctualité. Le taxi se présenta. Ruth, portant un sac en plastique noir plein d'affaires sauvées du feu, poussa les enfants sur la banquette arrière et monta devant à côté du chauffeur. Il eut peur que ses grosses cuisses ne bloquent son accès au frein à main. Elle avait une drôle d'allure – le visage noirci par la fumée et les yeux étincelants.

– Nous allons sur la côte, annonça-t-elle aux enfants. Nous allons voir papa.

Le chauffeur examina la carcasse noire de ce qui avait été sa jolie maison.

– C'était à vous? demanda-t-il impressionné.

Les enfants pleuraient à l'arrière, mais ils étaient si gavés de hamburgers que leur chagrin était plutôt symbolique et le traumatisme, en gros, évité, comme elle l'avait prévu.

– Partons vite, supplia Ruth. Ça ne fait aucun bien aux enfants de contempler ce genre de spectacle. La fin de l'existence qu'ils ont connue.

Aimable, il accéléra. Quand le taxi parvint en haut de la côte, Ruth se retourna et vit le 19 Nightbird Drive pareil à une dent perdue, un trou noir et vide dans une bouche radieuse et souriante, et elle se réjouit.

– Et Lasso, et Clémence? sanglotèrent les enfants. Ils oublièrent le cochon d'Inde et elle ne leur rappela pas.

– Ils sont vivants, répondit Ruth, et je suis sûre que les voisins s'occuperont d'eux, ils aiment tant les animaux!

– Nos livres, nos jouets! sanglotèrent-ils.

– Disparus, tous disparus, répondit-elle. Mais je suis sûre que votre père vous en achètera d'autres.

– On va habiter avec lui?

– Vous n'avez pas d'autre endroit où habiter, mes chéris.

– Toi aussi?

– Non, répondit Ruth. Votre père vit désormais avec quelqu'un d'autre, ça on ne peut rien y changer. Mais je suis sûre qu'elle se réjouira de vous avoir, elle l'aime tant.

13

Mary Fisher habite La Haute Tour. Elle adore cet endroit. Y a-t-il jamais eu adresse plus enchanteresse? La Haute Tour, Le Vieux Phare, Le Bout du Monde? Quand Mary Fisher a acheté la maison il y a cinq ans, c'était une ruine. Maintenant elle est le signe extérieur et visible de sa réussite. Elle adore la façon dont le soleil du soir s'étire sur la mer, sur les vieilles pierres, et colore tout d'un jaune doux et rosé. Qui a besoin de lunettes à verres roses quand la réalité est si douillette? On peut y arriver, voyez-vous. Mary Fisher y est arrivée.

C'est dangereux d'aimer les maisons, de se fier aux constructions.

Qui a besoin d'un chevalier à l'armure étincelante quand Bobbo est là dans sa chemise magnifiquement repassée, son costume bien coupé, taillé dans le plus beau et le plus souple des mohairs, et débordant d'adoration, d'admiration? Mary Fisher a donné réalité à ses livres. On peut y arriver. Elle y est arrivée.

C'est dangereux d'aimer les hommes, de se fier à l'amour.

C'est encore plus dangereux d'avoir une maison et un homme dans le même panier.

J'aurais pu le dire à Mary Fisher, mais elle ne m'a rien

demandé. En plus, les diablesses ne donnent pas de conseils. Pourquoi en donneraient-elles?

Les flammes étaient splendides. Elles ont réchauffé mon sang glacé.

14

Garcia aimait beaucoup travailler à La Haute Tour. Il avait du charme, de la vigueur, un caractère facile et son travail était à sa mesure. Lui seul savait tenir les dobermans qui gardaient la propriété de Mary Fisher, il n'avait donc aucun mal à tenir aussi le reste du personnel – deux bonnes, une cuisinière et un jardinier. Garcia avait sa chambre, avec vue sur la mer, chaude en hiver et fraîche en été. Il était jeune et plein de santé. Il envoyait sa paie à sa mère en Espagne; il ne savait pas qu'elle s'était remariée. Pendant ses heures de loisir il descendait boire au village. Trois villageoises et deux jeunes pêcheurs étaient amoureux de lui. Comme il parlait vite, avec conviction, et qu'il avait de l'énergie sexuelle à revendre, aucun d'eux ne se souciait trop de l'existence des autres. S'il y avait un homme heureux sur terre, c'était bien Garcia.

Garcia admirait Mary Fisher pour sa classe, sa beauté, sa santé. Il pensait qu'elle était placée au-dessus de lui, telle la lune miroitante au-dessus de la terre obscure, là où la nature l'avait décrété. Pendant les quatre années à son service il lui avait fait l'amour en cinq occasions. Il lui semblait juste de subvenir à ses besoins, avec tact et discrétion. Si elle pleurait la nuit il allait la rejoindre et au matin ils étaient à nouveau maîtresse et valet de chambre, sans rien changer au protocole.

D'autres amants venaient et repartaient, tous plus riches,

plus importants et plus puissants que lui et il n'en prenait pas ombrage. Comment le pourrait-il? Leurs droits dans le monde étaient plus grands que les siens. Le riche dans son château, le pauvre à sa grille... Et de ses amants, elle en avait besoin – pour son travail, pour ses livres, tout comme elle avait besoin de lui, Garcia. Comment Mary Fisher décrirait-elle les frémissements de la chair, les soupirs du cœur, si elle ne les ressentait pas. Ça s'oublie si vite, tout comme les affres de l'accouchement.

Quand Bobbo arriva avec ses deux valises, Garcia fut d'abord simplement déconcerté. Quand Mary Fisher accueillit Bobbo à bras ouverts, devint toute rose, vibrante et palpitante de plaisir, et fit de la place pour ses vêtements dans la penderie, Garcia fut mécontent. Il avait imaginé que si Mary Fisher devait un jour lier sa vie à un autre ce serait à quelqu'un d'encore plus riche et plus important qu'elle. Elle cesserait d'être la lune – elle deviendrait le soleil. Bobbo, Garcia l'avait toujours senti, valait à peine plus qu'un domestique – un conseiller, un professionnel. Un citadin qui ne connaissait rien à la mer ni à la vie sur la côte, qui marchait au bord des falaises pour prouver son courage et flânait au bord de l'eau en pleine tempête pour prouver sa puissance, mais ne comprenait pas l'action du sel sur le verre, le bois ou la chair humaine, et ordonnait que l'on ouvre les fenêtres par grand vent, pour mieux sentir la force et la splendeur de la nature. Il ne manquait pas seulement de pouvoir, il manquait de sagesse. Garcia bouda et leur envoya une bonne avec le thé du petit matin.

Quand Garcia vit le taxi monter l'allée de La Haute Tour, Ruth et les enfants en sortir, il fut ravi. Ruth, il le savait, c'était les ennuis garantis. Elle était venue dîner un soir, avait troué un tapis précieux et renversé du vin rouge sur une nappe en dentelle portugaise. Même un nettoyage de professionnel n'avait pu éliminer la tache.

Mary Fisher était dans l'atelier avec Bobbo quand le taxi arriva. Garcia prit sur lui de les appeler par le téléphone intérieur, mais ni Mary ni Bobbo ne répondirent. Ils étaient, supposa-t-il, trop occupés à faire l'amour pour répondre. Il se sentit furieux, dépossédé, tourmenté, comme un coq dans la basse-cour quand l'une de ses poules lui préfère son second.

Ruth sonna à la grande porte en chêne. Les dobermans se jetèrent dessus en aboyant et secouant les énormes panneaux. Garcia entendit pleurnicher des enfants apeurés. Il retint les chiens et ouvrit la porte.

– Je suis venue voir mon mari, annonça Ruth par-dessus le vacarme. Et les enfants sont venus voir leur père.

Elle se tenait sur les marches telle une statue de pierre – une pièce d'échec géante, une tour noire mal dégrossie venue défier la petite reine blanche en ivoire. Les chiens geignirent et puis se turent. Garcia songea que brillait dans ses yeux le même éclat rougeâtre que dans ceux de sa mère le jour où elle avait jeté dehors son ivrogne de mari, au risque qu'il la tue. Il se signa. Ruth sentait vaguement la fumée, ce qui lui évoqua les flammes de l'enfer. Il s'effaça pour la laisser passer. Elle l'effrayait et l'excitait tout à la fois. Garcia, aux cinq amants dociles, trois femmes et deux hommes, pensait qu'il pouvait jouer avec le diable s'il le voulait. Et pourquoi pas? Quand on est un homme, il suffit de regarder la peur en face.

– Où sont-ils? demanda-t-elle.

Garcia pointa le doigt vers le haut. Il ne voyait aucune raison d'épargner à Bobbo et Mary les conséquences de leurs actes. Ruth acquiesça et gravit l'escalier de pierre en colimaçon qui formait le cœur de la maison. L'escalier était large et bas – une moquette rose réchauffait la pierre froide. Les enfants montèrent à pas lourds sur ses talons en se plaignant de l'absence d'ascenseur. Ruth déplaça sa grosse masse vers le haut en tournant sans cesse avec une aisance étonnante. Garcia, qui les suivait, songea qu'il saurait peut-être s'y prendre avec elle; elle serait ses trois petites amies en une seule. Il pourrait diminuer des deux tiers les rituels d'amour qu'exigeaient les filles du village et y trouver encore son compte. Le terme «achat en gros» lui vint à l'esprit.

Ruth atteignit le dernier étage du phare. Le grand atelier de Mary Fisher s'étendait sous des poutres de chêne en console. Le bois était vieux, dur et desséché par l'eau de mer. Autrefois, ces poutres avaient servi d'épine dorsale aux vaisseaux de guerre de la reine Elizabeth; du moins c'était ce qu'avait raconté l'architecte. L'aménagement du phare en habitation avait coûté dans les 250 000 dollars et fourni du travail à beaucoup de gens, de la région ou non. Ruth le savait, elle connaissait à fond les comptes de Mary Fisher. Bobbo avait passé des heures dessus à Nightbird Drive, comme s'il ne les avait pas assez vus au bureau et devait encore les rapporter à la maison.

Mary Fisher et Bobbo faisaient l'amour sur le sofa blanc, ainsi que Garcia l'avait supposé, quand Ruth interrompit leur plaisir.

Bobbo portait sa plus belle chemise de soie blanche, une veste grise et rien d'autre. Mary Fisher ne portait rien. Elle poussait des petits miaulements de plaisir, mais, pensa Garcia, guère assez forts pour couvrir la sonnerie du téléphone. S'ils avaient choisi de ne pas répondre, ils n'avaient qu'à s'en prendre à eux quant à la suite des événements. D'abord Bobbo et Mary Fisher ne remarquèrent pas la présence de

Ruth, ni celle des enfants; quand ils s'en aperçurent, Bobbo voulut s'arrêter et Mary Fisher poursuivre.

Andy et Nicola étaient plantés là bouche bée. Leur mère ne cherchait pas à leur épargner la vue de la demi-nudité dégingandée et passionnée de leur père qui se dégageait de Mary Fisher.

– Fais sortir les enfants d'ici, lança Bobbo d'un ton sec, en remontant son pantalon et oubliant son caleçon. Ce n'est pas un endroit pour eux.

– C'est le seul endroit, riposta Ruth, où ils auront jamais l'occasion d'assister à la scène primale.

– Pauvre Bobbo, soupira Mary Fisher. Je te comprends. Elle est intolérable.

Elle jeta un châle à franges jaunes sur ses épaules et en ceintura les fronces autour de sa taille avec une cordelière de soie rose, afin qu'il tombe comme une robe de soirée à travers laquelle on pouvait entrevoir de temps en temps des éclairs de chair délicieuse.

– Garcia, lança Mary Fisher, vous auriez dû empêcher cette intrusion.

– Je suis navré Madame, répondit Garcia en détournant les yeux, comme si la nudité de sa maîtresse lui était inconnue. Rien ne pouvait l'arrêter.

– Je vois ce que vous voulez dire, reconnut Mary avec indulgence.

– Nicola et Andy, déclara Ruth, vous êtes dans un lieu merveilleux et passionnant. C'est un phare aménagé. Voilà pourquoi il y a tant de marches. Et elle, c'est une dame très riche et très célèbre qui écrit des livres. Son nom est

Mme Fisher et votre père l'aime beaucoup. Vous devez l'aimer aussi, par égard pour lui.

– Mlle Fisher, corrigea Mary Fisher.

– Je suis persuadée que vous adorerez habiter ici, poursuivit Ruth. Regardez! On peut voir les mouettes derrière les fenêtres et si vous jetez un coup d'œil en bas, il y a une piscine taillée dans le rocher. N'est-ce pas merveilleux?

– Chauffée? s'enquit Nicola.

– Je peux pas regarder en bas, pleurnicha Andy. Le vertige me donne mal au cœur.

– Alors regarde donc par ici Andy. Il y a un bar creusé dans le vieux mur de pierre. Plein de sodas, de cacahuètes et de chips. Tu vas adorer. Je suis sûre que Mme Fisher achètera du jus d'orange au plus vite. Hein, Bobbo?

Bobbo se planta entre ses deux enfants, avec le sentiment qu'il devait les défendre mais contre quoi, il ne le savait pas bien.

– Garcia, lança Mary Fisher, je crois que Madame est un peu contrariée. Emmenez les enfants à la cuisine, je vous prie. Nourrissez-les ou faites ce qu'on fait avec les enfants d'habitude.

– Mary, ce ne sont pas des ours que l'on bourre de brioches, protesta Bobbo.

Mary Fisher semblait en douter.

– Ruth, plaida Bobbo, je t'en prie, ramène les enfants à la maison. Si tu veux me parler, je te retrouverai pour le déjeuner quelque part en ville. Mais en vérité nous n'avons rien à nous dire.

– Je ne peux pas rentrer à la maison, répondit Ruth.

– Vous le devez, intervint Mary en faisant la moue. On ne vous a pas invitée ici. Vous êtes entrée sans autorisation. J'ai des chiens vous savez. Je pourrais les lâcher contre vous si je voulais. Aucune loi ne protège les intrus. N'est-ce pas Garcia?

– Madame, répondit Garcia, je ne vous conseille pas de lâcher les chiens contre qui que ce soit. Pas des dobermans. Aujourd'hui ils s'attaquent à vos ennemis, demain à vous et à moi. C'est le goût du sang, comme les requins.

– Quand même, insista Mary Fisher.

– Mary, intervint Bobbo, il n'y a pas de quoi se mettre dans tous ses états. Il est évident que les enfants ne peuvent pas rester ici. Ils doivent rentrer à la maison, chez eux, avec leur mère.

– Pourquoi est-ce si évident? demanda Ruth.

Nicola se servait de cacahuètes au bar et Andy avait branché la petite télé portative, bien fort. Ils savaient qu'on les préviendrait lorsqu'une décision concernant leur avenir aurait été prise. Entre temps, ils trouvaient la discussion à la fois pénible et ennuyeuse.

– Parce que je suis absolument nulle avec les enfants, déclara Mary Fisher. Regardez-moi. Suis-je du genre maman? Et puis, si jamais j'avais des enfants ce seraient les miens, j'imagine. Non, Bobbo?

Elle leva vers Bobbo un regard attendri, il baissa vers elle un regard attendri et tous deux imaginèrent leurs enfants communs, ressemblant aussi peu que possible à Andy et Nicola.

– Et qui plus est, poursuivit Mary Fisher, cette maison n'est pas conçue pour des enfants. Il y a si peu de portes et tant de cages d'escalier où tomber, et les chiens sont hargneux. N'est-ce pas, Garcia? Le meilleur endroit pour eux c'est avec vous, Ruth, dans leur maison, avec leur mère. Bien sûr Bobbo devrait aller les voir et il a l'intention de le faire dès que vous vous serez calmée, mais vous savez comme il craint les disputes. Et il ne serait pas bon pour Andy et Nicola de vous voir tous les deux à couteaux tirés. Nous devons penser à eux.

– Dès que tu seras installée dans une maison plus petite, Ruth, assura Bobbo, tu te sentiras mieux. Il y aura moins de travail. Tu ne seras pas fatiguée et déprimée du matin au soir. Et je n'ai pas un cœur de pierre. Je comprends très bien que vivre à Nightbird Drive, au milieu de tous tes souvenirs, de ta vie avec moi, doit te bouleverser. Plus vite elle sera vendue, mieux ce sera.

– Je suis contente que nous ayons eu cette discussion, intervint Mary Fisher. Ça clarifie l'atmosphère. Bobbo a besoin de tout le capital qu'il peut réunir. Nous voulons lui construire un bureau ici, une pièce supplémentaire en encorbellement. Je sais que la tour semble grande mais c'est surprenant ce qu'elle peut être petite en vérité. Grâce à tous les progrès de ces dernières années en technologie de la communication, il peut exercer sa profession ici et n'a besoin de se rendre au bureau en ville que deux fois par semaine. Nous ne voulons pas vous bousculer, Ruth, mais plus vite la maison sera vendue mieux ça vaudra. Bobbo veut payer sa part, il ne veut surtout pas se sentir redevable vis-à-vis de moi. Je suis sûre que vous comprenez cela.

– Le problème, Mary, répondit Ruth, c'est qu'il n'y a tout simplement pas de maison à vendre. Elle a brûlé ce matin. Il n'y a tout simplement pas de foyer où ramener mes enfants à moins que nous creusions un terrier dans les cendres. Ils devront donc rester ici.

Quand Bobbo eut fini de reprocher sa négligence à Ruth, que Mary Fisher eut téléphoné à la police et aux pompiers pour vérifier l'histoire de Ruth, qu'Andy et Nicola eurent compris que le cochon d'Inde était mort et que l'on n'entendit plus rien, excepté un halètement asthmatique intermittent de Bobbo, Mary Fisher déclara :

– Je suppose qu'étant donné les circonstances il vaudrait mieux que les enfants restent ici pour un jour ou deux, le temps que nous trouvions une meilleure solution. Garcia, voulez-vous conduire Mme Patchett à la gare? Elle a dû vivre une journée harassante. Elle peut attraper le train du soir en partant tout de suite.

Et elle quitta la pièce, son petit derrière blanc miroitant à travers les fronces jaunes, son rôle dans la conversation était arrivé à son terme. Mais pas avant d'avoir entraperçu Nicola écraser d'un talon désinvolte des chips sur le tapis persan et Andy éclabousser de coca-cola les murs blanchis à la chaux, en éternuant sans le faire exprès.

Ruth s'apprêta à partir.

– Mais leurs affaires? demanda Bobbo sur ses talons. Où sont leurs affaires? Joggings, sous-vêtements, pulls, jouets, crayons de couleurs et tout ça.

– Partis. En fumée. Achètes-en d'autres.

– Je ne suis pas cousu d'or. Et puis on est samedi, les boutiques sont fermées et demain c'est dimanche.

– Ça arrive très souvent, souligna Ruth. On veut quelque chose et on se rend compte que les boutiques sont fermées.

– Et leur école, Ruth? Ils vont manquer l'école.

– Trouves-en une autre.

– Il n'y a pas d'écoles par ici.

– Quand on cherche des écoles, on en trouve toujours, assura Ruth.

– Mais où vas-tu? s'enquit-il. Chez des amis?

– Quels amis? demanda-t-elle. Mais je reste ici, si tu veux.

– Tu sais que c'est hors de question.

– Alors je vais partir.

– Mais tu vas laisser une adresse?

– Non, répondit Ruth, je n'en ai pas.

– Mais tu ne peux pas tout bonnement abandonner tes enfants!

– Si, répondit Ruth.

Garcia raccompagna Ruth jusqu'à la porte d'entrée. Les dobermans haletaient derrière elle. Elle dégageait un nouveau parfum, de triomphe, de liberté et de peur, tout ça mêlé. Qu'ils trouvaient entêtant. Leurs truffes froncées s'insinuaient sous sa robe vert cendré.

– Les chiens ont bon goût, remarqua Garcia.

Il l'installa à l'arrière de la Rolls-Royce.

– Quelle direction prenez-vous? demanda-t-il. Vers l'est ou l'ouest? Quai un ou deux?

– N'importe, répondit-elle. Mettez-moi dans un train, c'est tout.

Il comprit qu'elle pleurait. Il regarda par-dessus son épaule et vit s'agiter ses larges épaules.

– Il le fallait, avoua-t-elle. Il n'y avait pas d'autre solution. C'était eux ou moi.

– Je garderai un œil sur eux, promit Garcia, sincère. Téléphonez quand il vous plaira, je vous tiendrai au courant.

– Merci, Garcia.

– Vous voulez qu'il vous revienne? demanda-t-il.

Il s'imaginait que oui. Les hommes ont du mal à croire que les femmes puissent se débrouiller sans eux.

– Oui, répondit Ruth, mais selon mes conditions à moi.

– Lesquelles?

– Elles sont assez spéciales, fut tout ce qu'elle répondit.

Elle prit le train vers l'est; une très grande et très grosse dame avec un visage barbouillé de crasse et des yeux rougis, vêtue d'une robe vert cendré pareille à une tente de camping, un sac poubelle noir bourré d'effets personnels jeté sur une épaule.

– Pourquoi elle a un si drôle d'air, la dame? demanda un petit garçon assis dans le train en face de Ruth.

– Chut, chut! fit la mère, et elle l'emmena s'asseoir ailleurs.

15

Mary Fisher a bâti sa tour autour d'elle, cimenté la pierre avec des billets de banque, tapissé les murs à l'intérieur avec de l'amour volé, mais elle n'est pourtant pas en sécurité. Elle a une mère.

La vieille Mme Fisher vit dans une maison de vieux. Je le sais parce qu'un paiement mensuel est versé à la directrice et qu'il y a un problème pour savoir si les suppléments (une bouteille de sherry et quatre paquets de biscuits au chocolat par semaine) sont déductibles des impôts. Le dossier est épais. Bobbo est un as pour les détails. Mary Fisher aussi. Bobbo passe sa langue sur le mamelon gauche de Mary Fisher, vite, de droite à gauche, et elle pousse un petit grognement de plaisir.

Il me faut un peu de temps. Bientôt j'irai mieux mais pour l'instant j'ai mal. La diablesse est blessée, elle est retournée se terrer dans sa tanière – l'ogre maternité fait les cent pas dehors avec des pieds de plomb.

Je dois songer à cette douleur comme à une souffrance physique. Je dois me souvenir qu'une blessure psychique, à la façon d'une jambe cassée, guérit avec le temps. Il n'y aura pas d'affreuse cicatrice; c'est une plaie interne, pas externe.

Je suis une femme qui apprend à vivre sans ses enfants. Je

suis un serpent qui mue. Aucune importance que les enfants soient Nicola et Andy, qu'ils manquent de charme. Un enfant est un enfant, une mère est une mère. Je gigote et me tortille de honte et de douleur, même si je sais que plus je me tiendrai tranquille, plus vite je guérirai, sortirai de mon ancienne peau et me glisserai renouvelée dans le monde.

Je suis persuadée qu'ils me manquent plus que je ne leur manque. Ils ont été le sens de ma vie, j'étais au service de leur croissance comme la vieille Mme Fisher a été autrefois au service de sa fille Mary.

16

Geoffrey Tufton descendait dans cette auberge trois fois par an et, en ville, passait d'une entreprise à l'autre pour promouvoir les nouveaux progrès en technologie de la communication. Autrefois il avait pris l'avion d'un pays à l'autre pour accomplir cette même tâche mais sur une plus grande échelle, traitant des commandes de dizaines de milliers, ou même de centaines de milliers de dollars. Mais il s'était passé quelque chose – sa personnalité n'avait pas convenu, ou il avait un peu trop souvent raté la conclusion d'une affaire, ou peut-être était-ce le refus de sa femme de s'intégrer, d'entrer dans l'esprit de l'entreprise; il ne savait trop – les voyages en avion se firent plus rares et les voyages en train plus fréquents, la promotion ne vint pas, l'inflation dépassa son salaire, désormais il n'était pas mécontent de l'auberge et des alcools qu'il pouvait boire au bar sur sa note de frais.

C'était son cinquante et unième anniversaire et il n'avait personne avec qui le fêter – si un jour pareil méritait qu'on le fête. Il s'était pesé et avait découvert qu'il pesait six kilos de plus qu'il ne le pensait. Pire, il avait un œil affligé d'une conjonctivite rebelle qui le démangeait; il larmoyait, il suppurait. Son médecin avait laissé entendre que l'affection était d'origine psychosomatique, ce qui le rendait encore plus malheureux. Il était laid, trop gros et inutile. Il gardait son œil malade du côté du mur dans le coin du bar, buvait et regardait ses collègues représentants de commerce ramasser les filles qui entraient, ces discrètes clientes du soir, et savait qu'il n'avait aucune chance avec elles. Son œil sentait la maladie. L'âge ou la bedaine, elles s'en fichaient, sauf pour augmenter les prix, mais les éruptions cutanées, les yeux enflammés ou les plaies autour de la bouche leur donnaient des angoisses. Il était à moitié content car il n'aimait pas tromper sa femme, même si elle était responsable de bon nombre de ses ennuis, mais à moitié seulement parce qu'elle avait pris un travail récemment où elle gagnait plus que lui, et le privait ainsi de son sentiment d'utilité, de sa récompense pour la vie qu'il menait – l'idée qu'il était son soutien financier.

Il regarda Ruth entrer dans le bar. Elle dut courber la tête pour passer sous la fausse arcade Tudor. Elle portait un tailleur pantalon blanc coupé dans un tissu chatoyant. Tous les yeux se tournèrent vers elle, un soupir de surprise parcourut le bar et l'une des filles – elle avait une queue de cheval mais, vu ses bras, la cinquantaine la guettait – gloussa tout fort. Le type rondouillard qui était assis à côté de Geoffrey lui souffla : « Goûts spéciaux, je suppose. »

Geoffrey eut pitié de la géante mal à son aise. Il se déplaça pour s'asseoir à côté d'elle et lui offrit un verre, il lui sauvait ainsi la face, songea-t-il. Il ne pouvait pas lui cacher éternellement son œil malade.

– C'est vilain ça, remarqua-t-elle, en l'examinant. L'avez-vous frotté avec de l'or?

– Non, répondit-il étonné. Je devrais?

– Oui, dit-elle. On ne frotte pas vraiment, on roule. On roule le mal au loin.

Elle ôta son alliance et la roula sur l'œil infecté. Le métal était étonnamment doux et soyeux, il sentit son œil apaisé.

– Oui, mais vous savez, lança-t-il, moi je ne suis pas mauvais. C'est l'œil, pas moi. Je suis un type sympa en réalité.

– Il y a quelque chose que vous ne voulez pas voir, j'imagine, répondit-elle. Elle avait des yeux lumineux et sans défaut. Ils brillaient d'un éclat rosé qu'il attribua au reflet des petits abat-jour en satin rouge. Il regarda les autres filles qui avaient un côté nébuleux comme si rien ou presque ne les séparait du néant, et puis Ruth. On aurait dit que le sculpteur qui l'avait ébauchée dans le granit était soudain parti déjeuner et n'était jamais revenu; mais il lui était reconnaissant de sa solidité.

– À dire vrai, avoua-t-il, rien ne me paraît jamais tout à fait réel. Rien ne correspond à ce que je voulais et j'ai cinquante et un ans aujourd'hui. Trop tard pour recommencer à zéro.

Elle ne souffla mot mais lui tendit la bague.

– Gardez-la, dit-elle.

– Mais c'est votre alliance.

Elle haussa les épaules. Il tâta le tour de son œil. L'enflure diminuait déjà et la démangeaison s'apaisait.

– C'est l'or? demanda-t-il.

– Bien sûr.

Il savait bien que non et se sentit ravi, libéré et reconnaissant. Il lui semblait qu'une chose ahurissante était arrivée, qu'il était guéri d'un mal qu'il n'avait jamais soupçonné – la perte de la foi.

Il commanda une bouteille de champagne au barman et les emmena dans sa chambre, elle et la bouteille. Un client ou deux ricanèrent sur leur passage, mais ça lui était égal.

– Ce n'est pas le physique qui compte, assura-t-il.

– Si, dit-elle d'un ton morne.

Elle aimait que la lumière soit éteinte et rester sous les couvertures; il n'était pas contre. Sa femme et lui avaient débuté leur vie conjugale de cette façon, jusqu'à ce que sa femme se mette à lire les magazines féminins sur papier glacé et décide qu'il n'y avait pas à rougir de la sexualité, de la nudité et des imperfections physiques. C'était, lui avait-il semblé à l'époque, une décision unilatérale injuste, mais il n'avait pas protesté. Sa femme avait un joli corps, pas lui. Sa femme avait aussi, sous l'influence, lui sembla-t-il, des mêmes magazines, acquis un goût pour la sexualité orale et les positions bizarres qui l'embarrassait. Ruth aimait tout simplement s'allonger sous lui, ce qui était peut-être aussi bien. Elle lui avoua que son mari s'était plaint de son manque d'audace, mais qu'y pouvait-elle?

Il resta à l'auberge une semaine entière et régla la note de Ruth pour ces huit jours. Le lundi matin son œil était complètement guéri et l'infection ne revint jamais. Ruth était accommodante et docile, elle paraissait hébétée. Elle se raconta très peu et il ne posa pas de questions.

Une nuit il s'éveilla et la trouva en larmes.

– Que se passe-t-il? demanda-t-il.

– Je pleure à cause d'une de mes amies, une voisine. La seule avec qui je m'entendais vraiment. Elle est morte il y a trois ans. Je n'arrive pas à l'oublier. Elle s'est suicidée.

– Pourquoi?

– Elle s'est disputée avec son mari. Elle s'appelait Bubbles et elle avait deux enfants. Il l'a battue et elle ne l'a pas supporté. Elle est repartie chez sa mère en le laissant avec les enfants. Elle voulait lui donner une bonne leçon; tout le monde l'y encourageait, il rentrait toujours soûl à la maison. Mais dès le lendemain il a installé une copine chez lui pour s'occuper des enfants et l'a mise enceinte, et quand Bubbles a voulu revenir, elle n'a pas pu. Alors elle a bu une bouteille de whisky et avalé des comprimés et sa mère l'a trouvée morte dans sa chambre d'enfant.

– Ce sont des choses qui arrivent. Ce n'est la faute de personne.

– En tout cas, reprit Ruth, tout ça c'est fini. Maintenant c'est chacune pour soi. Je ne pleurerai jamais plus. Je crois bien que je pleurais sur mon sort, en fait.

Il posa la tête entre ses gros seins et entendit le battement lent de son cœur. Il n'avait jamais entendu un battement aussi lent et il en fit la remarque.

– J'ai le sang froid, expliqua-t-elle. Il circule lentement. J'ai le sang froid et il refroidit de jour en jour.

Il lui vint à l'idée qu'ils pourraient rester ensemble, qu'il pourrait quitter sa femme – peut-être le souhait le plus cher de celle-ci – et laisser se poursuivre sans fin les longues nuits noires et bien convenables, mais elle répondit qu'elle ne pouvait pas. Elle avait trop à faire.

– Qu'as-tu à faire? Une femme, qu'a-t-elle donc à faire?

Elle rit et répondit qu'elle prenait les armes contre Dieu en personne. Lucifer avait essayé et échoué, mais c'était un homme. Elle, elle pensait qu'elle pouvait réussir.

17

Le lundi matin à l'auberge Ruth se leva guérie, dit adieu pour toujours à son amant à l'œil clair et se rendit dans les faubourgs de la ville, où elle s'arrêta à la porte d'une grande maison individuelle aux nombreuses fenêtres, certaines munies de barreaux, posée au milieu d'une végétation humide. Des arbustes, plantés de façon ordonnée, appartenaient à l'espèce exigeant le minimum d'entretien.

Ruth pressa la sonnette marquée « Visiteurs ». Mme Trumper ouvrit la porte. Mme Trumper avait tout juste dépassé la soixantaine et ses joues étaient pleines de vaisseaux éclatés. Elle avait de fortes mâchoires, des yeux durs, et sa taille s'affaissait, grasse et molle. Elle paraissait très imposante à bien des pensionnaires mais à Ruth, elle parut toute petite.

– Oui? demanda Mme Trumper d'un ton peu amical, mais pas trop inamical pour ne pas se mouiller – une de ses vieilles dames était morte la semaine précédente et la chambre ainsi libérée n'était pas encore occupée. Cette grosse dame avait peut-être un parent convenable à proposer, peut-être bien un vieillard idéal – une vieille femme souffrant de sénilité précoce mais pas encore incontinente. Les allocations gouvernementales étaient souvent très substantielles pour des cas de la sorte, une indemnité d'incontinence étant payable automatiquement, à juste titre ou non, dès que la sénilité était diagnostiquée.

– Mme Trumper? demanda Ruth.

– Oui. Mme Trumper écrasa sa cigarette, au cas où la visiteuse appartiendrait aux services de santé de la ville.

– On m'a dit que vous aviez une place pour une domestique à demeure, déclara Ruth.

Mme Trumper examina sa cigarette et conclut que, en s'y prenant bien, elle réussirait à la rallumer. Elle emmena Ruth dans son bureau. Ce genre de place était toujours libre chez elle. Il y a beaucoup plus de vieillards impotents dans le monde que de personnes jeunes disposées à prendre soin d'eux.

Ruth raconta qu'elle venait du nord, avait perdu son mari récemment et s'était déjà occupé de vieilles personnes.

Mme Trumper ne chercha pas à vérifier ses dires. La postulante était vigoureuse, ce qui était nécessaire, et propre, ce qui satisfaisait les visiteurs. Il importait peu qu'elle soit honnête ou non, les pensionnaires n'avaient presque rien à dérober.

Mme Trumper fit visiter la maison à Ruth, lui expliqua ses fonctions et l'esprit de L'Âge d'Or – c'était le nom de l'établissement. Sur l'avant du bâtiment, bénéficiant d'une chambre individuelle et d'une vue sur le jardin, vivaient les parents des riches. Il y avait une aristocrate avec qui il fallait être aux petits soins car elle conférait de la classe à la maison; elle avait droit à sa salle de bains personnelle. À l'arrière du bâtiment, à deux, trois ou quatre par chambre, vivaient les parents des moins aisés. Le tarif hebdomadaire de l'institution s'élevait à trois fois l'allocation retraite de base, ce qui sélectionnait la clientèle.

– Les vieux sont tous pareils, assura Mme Trumper, la sélection c'est tout dans la tête! Pas de fantaisie surtout, soyez ferme. Souvenez-vous, ce sont des enfants. Vous avez l'habitude des enfants?

– Oui, répondit Ruth.

– Alors vous ne serez pas dépaysée ici, assura Mme Trumper. Signalez-moi sans attendre le moindre lit humide ou malodorant. Et n'oubliez pas, ils sont malins, j'en ai connu qui sortaient en douce des matelas mouillés pour me berner. Bien sûr, je finis toujours par découvrir.

– Découvrir quoi? demanda Ruth.

– L'incontinence! claironna Mme Trumper.

Quand les pensionnaires commençaient à mouiller leur lit, L'Âge d'Or n'était plus pour eux, expliqua Mme Trumper.

– Ils doivent vraiment se plaire ici, observa Ruth, s'ils se donnent tant de mal pour rester.

– Oh ça oui, répondit Mme Trumper. Ils s'y plaisent. Parfois, bien sûr, je ferme les yeux plus longtemps qu'il ne faudrait. Je suis trop bonne, ça me perdra.

La chambre de Ruth était petite, le lit trop court et son salaire de 85 dollars par semaine. Mme Pearl Fisher, la mère de Mary Fisher, partageait une des chambres du fond avec Ruby Ivan et Esther Sweet.

– Comme vous avez de jolis noms, s'écria Ruth le lendemain, quand elle leur apporta le thé du matin et les réveilla en sursaut d'un sommeil sous narcotiques.

Le médecin traitant prescrivait du Valium et du Mogadon contre la dépression et les insomnies, en quantités massives. Que pouvait-il faire d'autre? À son avis, moins les vieilles dames voyaient L'Âge d'Or, mieux c'était, et elles n'avaient pas d'autre endroit où aller.

Mme Fisher, Mme Ivan et Mme Sweet parurent ravies et étonnées de cette remarque et considérèrent par la suite Ruth comme une amie. Le personnel de L'Âge d'Or, à leurs yeux, se divisait nettement en deux – ami et ennemi. Mme Trumper était l'ennemi. Mme Trumper guettait et attendait que ses pensionnaires mouillent leur lit, et puis elle les renvoyait aux mains impitoyables de leur famille, jusqu'à ce qu'on ait trouvé une maison de retraite adéquate avec un service de changement de draps. Or ce genre d'endroit, tout le monde le savait, n'existait pas. Il y avait un goulet d'étranglement tout au bout de cette route-là, leur vie.

Ruth bavarda, cajôla, souleva, peigna, essuya, répandit du désinfectant dans tous les coins pendant une bonne semaine et puis signala à Mme Fisher qu'elle connaissait sa fille, Mary, mais Mme Fisher la regarda d'un œil vide et ne répondit pas. Ruth remplaça son Valium par des comprimés de vitamine B, son Mogadon par de la vitamine C et glissa la même remarque une semaine plus tard.

– C'est drôle ce que vous me dites, répondit Mme Fisher. Je crois que personne ne connaît jamais Mary et surtout pas sa mère, c'est-à-dire moi. Comment va-t-elle?

– Elle va très bien, assura Ruth. Elle a un nouvel amant.

– Écœurant, grogna Mme Fisher. Ce n'est qu'une petite chatte en chaleur. Elle n'a pas changé. Je l'ai percée à jour depuis le début. Elle sort du ruisseau, et je le dis en connaissance de cause, moi aussi.

Elle cracha. Elle balança la tête, rassembla sa salive, et cracha de nouveau. Elle pouvait cracher du bout du lit jusque dans le coin de la chambre, par-dessus la tête de Mme Ivan et de

Mme Sweet, qui étaient bonnes pâtes. Elles semblaient déprimées. Ruth essuya le crachat. Sa texture était fine et fluide, pareille au blanc d'un vieil œuf tiède.

– Elle m'a joué un sale tour, remarqua Mme Fisher. Elle m'a piqué mon homme. Et il avait de l'argent, en plus. J'étais deux fois plus jeune que lui, mais elle quatre fois, alors elle l'a liquidé deux fois plus vite. Le vieux dégoûtant. Bien fait pour lui. Un socialiste, en plus.

Ruth encouragea Mme Fisher à se lever et à s'exercer avec son déambulateur. Au bout d'un mois, Mme Fisher marchait sans déambulateur, et au bout de six semaines elle pouvait descendre l'escalier toute seule.

– À vos risques et périls, prévint Mme Trumper. D'accord, ça fait bonne impression sur les visiteurs, une grabataire qui gambade comme un cabri. Mais les vieux donnent moins de travail au lit que debout, vous l'admettrez.

Ruth donna à Mme Fisher des haricots, des pommes, de la salade de chou, du riz brun et ses maux de ventre cessèrent. Elle hoquetait et pétait beaucoup et Mme Ivan et Mme Sweet commencèrent à s'agiter.

– Il vous faut une chambre particulière, assura Ruth. Vous n'êtes pas grabataire, vous avez droit à votre espace à vous.

Elle avait expliqué cette notion à Mme Fisher. Que les individus aient des droits, Mme Fisher ne l'avait encore jamais compris. On n'avait que ce que l'on pouvait dans un monde fondamentalement hostile, voilà ce qu'elle avait supposé. Elle s'empressa d'adopter la nouvelle doctrine.

«J'ai droit à deux tranches de bacon, décrétait Mme Fisher d'un bout à l'autre des couloirs. Ne pas avoir faim est un droit.» Ou : «Je prendrai deux bains par semaine si ça me chante, j'y ai droit.» Ou : «Après tout ce que j'ai fait pour ma patrie, j'ai droit à un anneau de caoutchouc pour avoir le derrière à l'aise toute la nuit.» Ou : «Une mère a le droit de cracher, péter, se moucher dans ses doigts aussi souvent que ça lui chante.» Des murmures et des grognements d'approbation lui répondaient en écho des chambres et même de la salle commune où les ambulants s'asseyaient le long du mur dans des fauteuils en plastique et regardaient d'un œil fixe des émissions de télévision qu'ils ne pouvaient ni ne voulaient comprendre.

Les visiteurs, au lieu de se montrer conciliants et reconnaissants, commencèrent à réclamer des oreillers supplémentaires, des soucoupes pour les tasses, et à exiger que l'on change plus souvent l'eau des vases, surtout à la saison des dalhias.

– Pourquoi ne s'occupent-ils pas eux-mêmes de leurs parents, s'ils font tant de chichis? demandait Mme Trumper, le nez dans son gin.

Mme Trumper pensait bien que les ennuis avaient commencé avec Ruth; elle était tiraillée entre l'envie de la renvoyer et l'angoisse de savoir comment elle pourrait remplacer quelqu'un de si solide, propre et plein de bonne volonté. Et puis elle avait peur de Ruth aussi, Ruth était trop grosse. Elle pourrait écraser Mme Trumper entre le pouce et l'index. Ses yeux étincelaient.

Mme Fisher réclama une chambre particulière.

– Et d'où sortirez-vous l'argent pour la payer? demanda Mme Trumper. Votre fille nous en donne déjà bien peu. Loin des yeux, loin du cœur, quand il s'agit des vieilles dames, Mme Fisher. J'ai vu ça assez souvent! Bien sûr, les gens ont la fin qu'ils méritent. Au début la chance, à la fin la justice. Vous, Mme Sweet et Mme Ivan vous vous méritez.

Elle aimait lancer des petites piques à ses clientes. Elles comprenaient rarement. Parfois Mme Trumper se sentait bien seule.

– Je vais écrire moi-même à ma fille, déclara Mme Fisher.

– Impossible, répondit Mme Trumper, vous n'avez pas son adresse.

– Si je l'ai, riposta Mme Fisher, alors allez vous faire voir! Elle employa une expression beaucoup plus crue, vu qu'elle sortait du ruisseau, ainsi qu'elle ne cessait de le répéter à Ruth.

Mme Fisher écrivit à sa fille. Ruth dicta la lettre.

> «Ma chère Mary, ça fait bien longtemps que tu n'es pas venue me voir. Je sais que tu es débordée, mais tu devrais penser de temps en temps à celle qui t'a élevée et aidée à traverser les années difficiles. Mon sort serait bien meilleur si tu pouvais payer Mme Trumper pour qu'elle me donne une chambre particulière avec la télévision. Les visites me manqueraient beaucoup moins.
> «Amitiés à toi et les tiens, et des bises aux petits.
> «Ta Maman qui t'aime, Pearl.»

– Mais elle n'a pas de petits, remarqua Mme Fisher.

– Maintenant si, dit Ruth.

– Ça alors, s'écria Mme Fisher. Quelle sale garce! C'est moi, la mère, la dernière à le savoir!

Mais elle ne sembla pas vouloir en savoir davantage.

Ruth se chargea de poster la lettre de Mme Fisher, tant de courrier se perdait. Une lettre – ramassée par Ruth sur le paillasson où elle tomba – revint au bout d'un certain temps sur du papier parfumé, et de la minuscule et charmante écriture de Mary Fisher, signalant que des fonds supplémentaires n'étaient pas disponibles, mais qu'elle espérait que sa mère était heureuse et en bonne santé. Elle était très occupée ces temps-ci, l'inflation l'obligeait à travailler deux fois plus dur pour moitié moins et elle avait de nombreuses bouches à nourrir. En fait, si sa mère pouvait boire moins de sherry, elle lui en serait reconnaissante. Elle lui enviait sa vie calme et paisible, et l'aimait tendrement.

– Votre pauvre fille, remarqua Ruth, elle travaille très dur, on dirait! Vous pouvez peut-être l'aider, Mme Fisher. N'y avez-vous jamais pensé? Une mère devrait peut-être se tenir aux côtés de sa fille, si elle le peut. Si elle a assez de force pour aller jusque là-bas.

Mais Mme Fisher se carra simplement dans ses nouveaux coussins moelleux, alluma la télévision, lança à Ruth un regard oblique. Elle se demandait parfois ce que Ruth pouvait bien manigancer mais de toute façon elle était de son côté. Seulement elle n'irait pas vivre avec sa fille.

Elle parla d'une certaine Infirmière Hopkins qui l'avait entourée de soins, mais qui avait fait un gros héritage et quitté L'Âge d'Or. Après son départ Mme Fisher avait trouvé moins risqué de ne plus quitter son lit.

– Cette Infirmière Hopkins, précisa Mme Fisher, n'était pas plus grande qu'une cuillère à café mais large comme une porte, et musclée avec ça. Évidemment, vous êtes grosse comme une maison. Ça aide, par ici.

– Qu'est-elle devenue?

L'Infirmière Hopkins était allée travailler dans un hôpital psychiatrique pénitentiaire, répondit Mme Fisher, où rien ne la distinguait plus des autres. Ruth se serait bien entendue avec elle. Tout le monde a besoin d'un ami. En attendant, elle n'irait pas vivre avec sa fille. Pourquoi rendrait-elle service à cette petite garce?

– Mais il faut pardonner. Vous pourriez rester auprès d'elle, juste un petit moment, bien sûr! Vous pourriez prendre un train et aller la voir.

– Je suis trop vieille.

– Vous n'avez que soixante-quatorze ans. Ce n'est rien du tout.

– Je suppose que je pourrais y aller, concéda Mme Fisher. Un dimanche après-midi, disons.

– Je vous mettrai dans le train, promit Ruth. J'achèterai votre billet de retour et je téléphonerai et demanderai au valet de chambre d'aller vous chercher.

– Valet de chambre! s'exclama Mme Fisher. Ça sent l'entourloupette à plein nez!

– Je trouve aussi, dit Ruth.

– Elle ne peut rien me cacher, assura Mme Fisher. Rien ne m'échappe! Je m'en vais lui régler son compte.

Un dimanche matin Ruth ôta les comprimés placebo du flacon de médicaments de Mme Fisher et les remplaça par du Valium et du Mogadon. Au déjeuner, pendant que Mme Fisher était à la salle à manger, Ruth vida le contenu de la chaise percée de Ruby dans le lit de Mme Fisher et apporta un vase de vieux dalhias pour masquer toute odeur, du moins pour le moment. L'après-midi Ruth mit Mme Fisher, vêtue de ses plus beaux atours – violet, gris et noir pisseux – dans le train pour la gare la plus proche de La Haute Tour. Elle rentra à L'Âge d'Or, téléphona à Garcia du bureau de Mme Trumper et annonça qu'elle appelait de L'Âge d'Or pour les informer que la mère de Mlle Fisher venait passer la journée et que Garcia veuille bien la chercher au train. Elle n'entra pas dans les détails et raccrocha avant que Garcia ait pu consulter Mary Fisher.

Ruth resta assise à côté du téléphone et attendit qu'il sonne, ce qu'il fit au bout d'un moment. Mary Fisher était au bout du fil. Elle n'attendit pas de savoir à qui elle pouvait bien s'adresser, mais parla aussitôt d'une voix beaucoup plus aiguë que d'habitude.

– Vous êtes impardonnable, Mme Trumper, lança Mary Fisher. D'abord il n'y a tout simplement pas de train pour le retour ce soir. Deuxièmement j'aurais dû être prévenue au moins une semaine à l'avance, et troisièmement, qu'est-ce qui vous prend de laisser une femme sénile se balader comme ça, prendre des trains à sa guise? Il pourrait lui arriver n'importe quoi.

– Ce n'est pas Mme Trumper, répondit Ruth, en déguisant sa voix et prenant un ton très distingué, mais un haut responsable du personnel. Mme Trumper est à un enterrement. S'il n'y a pas de train ce soir, alors la meilleure solution c'est que vous gardiez votre mère pour la nuit et nous la renvoyiez demain matin. Nous n'avons pas pu vous prévenir car votre mère ne nous a pas prévenus non plus. C'est un être humain qui jouit de tous ses droits d'être humain, pas un paquet, et elle peut aller et venir à sa guise. Elle n'est pas sénile non plus. Sa santé s'est magnifiquement améliorée récemment, ce dont nous nous réjouissons tous et vous, sa fille, ne devez pas manquer de vous réjouir aussi.

Mary Fisher raccrocha sans essayer de répondre, en reconnaissant qu'à l'autre bout du fil elle avait un adversaire à sa mesure. Ruth attendit. Au bout d'un moment Garcia téléphona, il annonça que Mme Fisher serait de retour par le train du lendemain matin et demanda que quelqu'un de L'Âge d'Or aille la chercher à la gare centrale.

– Bien sûr. Quoique, évidemment, nous devions mettre la course en taxi sur le compte de Mlle Fisher.

Elle attendit l'appel téléphonique qui contesterait le paiement de la course en taxi mais il ne vint pas.

Mme Trumper rentra de l'enterrement de Mme Sweet à six heures et demie. Mme Sweet avait dégringolé la pente à toute vitesse depuis que la vieille Mme Fisher avait quitté la chambre du fond et rejoint les ambulants. En apparence il fallait à Mme Sweet, pour survivre, un régime d'agacement, de rancune et de résignation. La nourriture ne suffisait pas. Mme Trumper, trouvant Ruth dans son bureau à son retour, lui en fit la remarque d'un air de reproche.

– Le but de la vie ne devrait pas être sa prolongation, observa Ruth, mais la façon dont on la vit.

– C'est bien beau tout ça, grogna Mme Trumper, mais moi ça me laisse avec un lit vide et une rotation trop rapide de mes pensionnaires. Ça fait mauvais effet.

Ruth annonça à Mme Trumper que Mme Fisher serait absente pour la nuit à la demande de sa fille.

– Tant qu'elle ne demande pas un rabais, maugréa Mme Trumper, elle peut bien faire ce qu'elle veut. Mais elle va me manquer, la vieille guenon. Elle n'est pas aussi assommante que le reste du lot. Dans un endroit pareil il y a de quoi mourir d'ennui. Et beaucoup ne s'en privent pas. Tenez, Mme Sweet! Mais au moins elle a laissé son matelas en bon état.

– J'ai pensé que je devais vous prévenir, intervint Ruth, que le lit de Mme Fisher a été un peu humide ces derniers temps.

– Humide? hurla Mme Trumper. Comment ça, humide?

– Très humide.

– Incontinence! beugla Mme Trumper, sa bonne opinion de Mme Fisher déjà oubliée.

Elle se jeta aussitôt dans l'action en se hissant sur ses jambes titubantes.

– Si ce que vous me dites est vrai, déclara Mme Trumper, tout en gravissant l'escalier à pas lourds, voici un fait nouveau et de première importance. Je dois mener mon enquête. Pas question que l'on taxe L'Âge d'Or de négligence ou de cruauté!

Mme Trumper tâta et renifla le matelas de Mme Fisher.

– Ce n'est pas une fuite récente, conclut Mme Trumper, je ne me trompe jamais. Ça dure depuis combien de temps?

– Environ un mois, avoua Ruth. Ça m'embêtait de vous le signaler. Pauvre Mme Fisher. Ce n'est pas de sa faute, après tout.

– Vous êtes renvoyée! brailla Mme Trumper, pleine de fougue et de fureur. Regardez-moi l'état de ce matelas!

Il était vraiment détrempé. Ces derniers temps, à la place du sherry, Ruth avait apporté de la bière en quantité généreuse à Mme Fisher.

Mme Trumper téléphona à Mary Fisher et lui annonça qu'en aucun cas Mme Fisher ne devait rentrer à L'Âge d'Or, ni le lendemain ni jamais. L'Âge d'Or était un hôtel résidentiel pour le troisième âge, pas une maison de retraite pour incontinents.

– Je comprends bien qu'il y aura une augmentation de prix pour les draps et le reste, répondit Mary Fisher, et je suppose que je n'ai pas d'autre solution que de payer. Mais c'est du chantage!

– Vous ne semblez pas comprendre, insista Mme Trumper, l'heure de vérité est arrivée, les poules rentrent au bercail. Votre mère rentre au bercail, Mlle Fisher. Je ne la reprendrai pas.

– Qu'est-ce que je vais en faire, alors? gémit Mary Fisher.

– Ce que j'en ai fait depuis dix ans, répondit Mme Trumper. Vous en occuper et la supporter.

– Mais je ne suis pas infirmière.

– Ce n'est pas une infirmière qu'il lui faut. Il lui faut de l'AFD.

– Qu'est-ce que c'est? Un nouveau médicament? Pour la première fois on pouvait discerner une nuance d'espoir dans la voix de Mary Fisher.

– Amour Filial Dévoué, répondit Mme Trumper, laissant percer le rire dans sa voix.

Après un court silence Mary Fisher, qui payait la communication, pleurnicha :

– Mais Bobbo et moi partions en vacances.

– Emmenez-la avec vous. Elle adore la nouveauté.

– Ne soyez pas ridicule, protesta Mary Fisher.

– Alors restez chez vous, lança Mme Trumper. Savez-vous depuis combien de temps je n'ai pas pris de vacances?

Et d'une main elle coinça le téléphone pour écouter ce qu'elle appelait le récitatif de la famille. De l'autre main elle déboucha avec adresse une bouteille de gin et se servit. Au bout d'un moment Mary Fisher renonça à essayer de convaincre Mme Trumper de garder sa mère et demanda le nom d'une maison de retraite qui accueille les incontinents.

– Il n'y en a pas, répondit Mme Trumper, triomphante. Il en existe une ou deux qui les prennent moyennant un fort supplément, mais il y a des listes d'attente de cinq à dix ans.

Mary Fisher pleura ouvertement. Mme Trumper, satisfaite, mit un terme à la conversation. Elle monta dans la chambre de Ruth pour lui annoncer qu'elle était réintégrée, mais trouva Ruth déjà occupée à faire ses valises.

18

Mary Fisher habite La Haute Tour et réfléchit à la nature de l'amour. Elle ne trouve plus ça si facile désormais. Les étoiles gravitent, les marées montent, les embruns salés frappent l'épais double vitrage mais les yeux de Mary Fisher sont tournés vers l'intérieur, elle ne se délecte plus de ces spectacles. Pour ce qu'elle voit de la splendeur de la nature, elle pourrait habiter Nightbird Drive ou n'importe où.

Mary Fisher habite La Haute Tour avec deux enfants, une mère atrabilaire, un amant distrait et un valet de chambre maussade. Elle a l'impression qu'ils la dévorent vivante. En ce moment le champagne donne des acidités gastriques à Mary Fisher car elle ne peut plus en savourer chaque gorgée mais doit l'avaler d'un trait avant de parer au prochain souci domestique.

Le saumon fumé est trop salé pour Bobbo, dont la tension est un peu haute, et Mary Fisher a beau expliquer que le saumon fumé n'est pas en vérité un aliment à fort taux de sel, il refuse de la croire et n'aime pas la voir manger ce qu'il ne mange pas. On sert souvent des sandwiches au thon, ici comme partout ailleurs.

Mary Fisher considère l'amour et l'amour, c'est compliqué. D'abord elle est l'esclave sexuelle de Bobbo, comme la meilleure amie de l'héroïne est souvent l'esclave du héros au début des romans de Mary Fisher, avant qu'un amour plus pur et plus spirituel s'empare du héros et de l'héroïne et que la meilleure amie se fasse plaquer ou écraser, comme Anna Karenine, ou soit obligée d'absorber de l'arsenic, comme Madame Bovary. C'est le sort des meilleures amies. Mais Mary Fisher n'est pas la meilleure amie, elle est l'héroïne de sa propre vie, ou désire l'être. Plus elle profite du corps de Bobbo, plus elle le veut. Elle désire son estime, elle ferait n'importe quoi pour l'obtenir, même s'occuper de ses enfants, de sa mère à elle, même vieillir avant l'âge. Son estime égale une bonne nuit au lit. L'esclavage sexuel est un état tragique dans la vie comme dans la littérature. Mary Fisher le sait, mais comment y échapper?

19

Bobbo n'a pas pu épouser Mary Fisher, la justice a refusé de lui accorder le divorce d'avec une épouse qui pourrait fort bien être morte. Mais la justice n'était pas préparée non plus à la déclarer morte et lui, veuf. Ruth a disparu – traumatisée, a soutenu Bobbo, par son départ et l'incendie accidentel de sa maison. Bobbo n'aimait plus entendre Mary Fisher parler durement de Ruth. Il lui arrivait même de regretter le sort qui l'avait mené à Mary Fisher et au véritable amour. Il ne reniait pas leur amour et n'en désirait pas la fin mais il reconnaissait parfois qu'il eut été commode que ça ne soit jamais arrivé.

Et La Haute Tour n'était plus ce qu'elle avait été. Les enfants plaquaient leurs mains sales sur des surfaces neigeuses, envoyaient des ballons de foot contre les vitres étincelantes, se vautraient sur le dossier des sofas et les cassaient, tiraient sur les courtepointes pour en faire des trampolines, trébuchaient et envoyaient valser les héritages de famille. Andy, en essayant de jouer au polo sur le dos d'un doberman, envoya l'horloge à balancier du grand-oncle de Mary Fisher s'écraser par terre. Mary Fisher pleura.

– C'était tout ce qu'il me restait du passé!

– Des biens matériels et rien d'autre, dit Bobbo.

– Le passé, mon œil! brailla la malodorante vieille Mme

Fisher. Elle reprenait du Mogadon et du Valium, prescrits par le docteur, et était désormais tout à fait incontinente. Je me souviens du jour où ton premier mari l'a rapportée de la brocante. Ton mari qui était le mien, en toute justice.

Et le personnel gloussa tandis que Mary Fisher restait assise en pleurs à côté de l'horloge, ses ravissants petits bouts et morceaux tout brassés à l'intérieur, vibrant et tintant faiblement, encore animés dans la mort, comme un poulet une fois qu'on lui a coupé la tête.

Et Bobbo refusait toujours d'enfermer les enfants, de les priver de liberté, d'exercer contre eux une discrimination. Ils avaient assez souffert, trouvait-il. Il ne se sentait pas responsable de leurs souffrances mais paraissait penser parfois que Mary Fisher y était peut-être pour quelque chose. Il était devenu un père très attentif depuis qu'ils n'avaient plus de mère.

– C'est ici leur foyer maintenant, soulignait-il, ils doivent le sentir. Et tu es leur belle-mère, devant Dieu si ce n'est devant la loi.

Et Mary Fisher était trop troublée par le contact des lèvres de Bobbo lui taquinant l'oreille pour protester : « Mais ce n'est pas ce que je voulais. Pas du tout ce que je voulais! »

Nicola réussit à casser la chaîne hi-fi Bang et Olufsen rien qu'en s'appuyant dessus. Mary Fisher avait appris à ne pas pleurer mais ne pouvait s'empêcher de gémir.

– Achètes-en une autre! conseilla Bobbo. Tu peux te le permettre, après tout.

Mais le pouvait-elle? Garder La Haute Tour debout et habitable maintenant que son usage premier – éloigner les marins des récifs – avait disparu, était une affaire coûteuse. Et il fallait entretenir agents, domestiques, dactylos, comptables – Mary Fisher était obligée de subvenir à ses besoins mais aussi à ceux d'une foule d'autres personnes voguant doucement sur l'océan de son succès incertain et peut-être même provisoire. Mary Fisher ne cessait de le répéter : « Je ne vaux rien de plus que mon dernier roman. » Et Bobbo savait que ses romans ne « valaient » rien, qu'ils étaient tout juste vendables, une distinction qu'elle n'osait pas faire, car ce qui est vendable aujourd'hui est invendable demain.

Et elle avait des goûts de luxe. Bobbo aimait au moins qu'on lui laisse acheter le vin, mais le palais de Mary Fisher était si délicat qu'il pouvait consommer 100 dollars par soirée sans difficulté, et, s'il y avait des invités, plutôt une dizaine de fois cette somme.

Mais il n'y avait plus tellement d'invités. Ceux que Bobbo aimait bien ne plaisaient pas à Mary Fisher, et vice versa. Parfois il valait mieux ne recevoir personne. Et puis il y avait les enfants, et il avait poussé à Nicola des seins lourds pour lesquels elle était sûrement beaucoup trop jeune. « Elle tient de sa mère », observait Bobbo. Et c'était indéniable. Nicola et Andy se chamaillaient et braillaient. Les invités, quand il y en avait, s'éclipsaient avec soulagement.

Bobbo contemplait la mer écumeuse par les baies vitrées de La Haute Tour et considérait la vie, la mort, la justice, le grand mystère, alors il fallait bien que quelqu'un ait les pieds sur terre et c'était Mary Fisher. C'était là, commençait-elle à comprendre, ce que l'amour fait d'une femme. Le monde matériel déferle, des flots de détails pratiques submergent les sables mouvants de l'amour. Le lit grince la nuit.

Les pieds d'Andy sentaient incroyablement mauvais. Les

dobermans le suivaient à la trace et se jetaient dans La Haute Tour en aboyant. Lasso, l'épagneul, était évidemment devenu un membre notoire de la maisonnée – Bobbo l'avait récupéré chez les voisins après l'incendie, traumatisé mais aussi infesté de parasites qu'il passa ensuite aux dobermans. Par bonheur, les poils de doberman sont courts, mais les poils d'épagneul sont longs et il y en avait partout. Toutefois les dobermans sont des chiens puissants; en se grattant, ils ébranlaient les planchers de jour comme de nuit; même les murs de pierre conçus pour résister aux mers les plus fortes que la nature ait inventées semblaient parfois trembler dans les ténèbres de la nuit; scratch, secousse, soubresaut, secousse!

Clémence la chatte, venue aussi se joindre à la tribu, était furieuse et chamboulée par le changement. Elle devint l'intime de la vieille Mme Fisher, c'était plutôt normal de l'avis de Bobbo. Elle aimait aussi sauter sur les genoux de Mary Fisher et téter en douce les plis soyeux de sa robe. Une sorte de décolorant, contenu dans la salive de chat, laissait sur le tissu des motifs en forme de téton que le nettoyage à sec ne parvenait pas à effacer. Clémence avait abîmé ainsi quelques-unes des plus jolies robes de Mary Fisher.

– Cette chatte est perturbée, se contentait de reconnaître Bobbo. Avec le temps elle s'en remettra. Donne-lui plus de lait.

– «Avec le temps», mais combien de temps?

– Des années, répondait Bobbo.

Bobbo se rendait à son bureau en ville deux jours par semaine. Il n'aimait pas perdre de vue Mary Fisher plus longtemps. Il se méfiait de Garcia. Le restant de la semaine il travaillait à la maison et, avec une certaine imprudence, déléguait les responsabilités à son personnel. Sa clientèle, grâce à son association avec Mary Fisher, comptait désormais de nombreux écrivains très fortunés, sinon très réputés.

En gros Bobbo était heureux. Il avait plus ou moins ce qu'il voulait. Il avait la famille qu'il avait toujours voulue, la maison qu'il voulait, le grand train de vie qu'il voulait. Une maîtresse riche, belle et célèbre pour l'aimer et le vénérer. Qu'elle baisse dans son estime et il la privait de ses faveurs sexuelles un moment, parlait en termes flatteurs d'autres femmes jolies et plus jeunes qu'il avait rencontrées et la remettait ainsi au pas, bouleversée et rongée d'angoisse. Ces temps-ci elle n'était pas très à son avantage et le savait. Parfois ses ongles se cassaient et elle ne pouvait pas perdre son temps à les limer, les vernir et les protéger. Elle fourrait alors le doigt en cause dans sa bouche, tirait avec ses dents et ôtait tout le segment supérieur de l'ongle, jusqu'à la chair à vif.

Mary Fisher ne pouvait plus crier pendant l'amour, Mme Fisher écoutait et les enfants aussi. Nicola tendait l'oreille pour entendre Bobbo; Andy, Mary Fisher. À la première occasion il fouillait dans ses dessous de soie. Nicola essayait de s'habiller comme Mary Fisher et avait une allure invraisemblable. Mary Fisher suggéra à Bobbo de faire installer des portes et des murs là où il n'y avait eu ni portes ni murs, pour retrouver un peu d'intimité, mais Bobbo ne voulut pas en entendre parler.

– Cet endroit est magnifique, protesta Bobbo. Ce serait une honte de le transformer en un lieu ordinaire. Fais attention Mary de ne pas te transformer en ménagère de banlieue!

Mais c'était bien sûr ce qu'une partie de lui désirait ardemment qu'elle devienne et la poussait à devenir. Qu'elle cesse de travailler, cesse de gagner sa vie, fasse la vaisselle, qu'elle soit ce que sa mère à lui n'avait jamais été. Sienne.

Mary Fisher termina un roman, *Le pont lointain du désir,* et le soumit à son éditeur. On le lui retourna pour d'importantes modifications. Elle fut alarmée, bouleversée et déroutée. Car si Mary Fisher avait perdu sa touche, si des millions et des millions de femmes s'agitaient dans leurs rêves au Valium, prenaient un roman de Mary Fisher et se rendormaient, déçues, c'était une véritable tragédie. La perte ne touchait pas seulement Mary Fisher, mais elles toutes. Si à Tashkent, Moose Jaw, Darwin et Saint-Louis on assurait que Mary Fisher nous était indispensable et qu'elle nous trahissait, son malheur était multiplié par millions.

Et pourquoi était-ce arrivé? Elle ne pouvait le comprendre. Ce roman, elle l'avait peaufiné bien plus que bon nombre d'autres. Elle pensait qu'en définitive il serait peut-être meilleur. En cours de rédaction elle l'avait montré à Bobbo et il l'avait même aidée. Il avait voulu que ses héros soient un peu plus sérieux, un peu moins grands...

– Comme toi, tu veux dire, Bobbo?

Elle avait ri, mais il avait froncé les sourcils et requis son attention – un peu plus sensibles aux arts et un peu moins portés sur les sports sanguinaires. Il avait corrigé sa grammaire, amélioré sa syntaxe, affiné son intrigue et lui avait reproché sa façon d'enfiler les adjectifs les uns derrière les autres, comme si les mots étaient des cubes et le but, construire la tour la plus haute possible. Bobbo avait été à l'université, elle, Mary Fisher, non. Il devait s'y connaître. Elle charmait mais lui, il s'y connaissait.

– Pourtant à ma façon, ça marche, protesta-t-elle. Des millions de lectrices ne peuvent pas se tromper. Si?

– Mary, ma chérie, bien sûr que si. Ce n'est pas le nombre de lecteurs qui compte, voyons, mais la qualité du lecteur. Tu vaux mieux que ça. Ça me rend malade de te voir vendre ton talent comme tu le fais, en écrivant des sottises. Tu pourrais être un écrivain sérieux.

– Mais je suis un écrivain sérieux.

Des sottises! Elle souffrait. Il enveloppa les petits membres de Mary Fisher dans ses bras musclés et l'embrassa avec plus de fougue. Vraiment, vraiment! Parfois, ça ressemblait tant à ses romans. Alors pourquoi refusait-il de la croire, pourquoi refusait-il de croire ce qu'elle écrivait? Ou plutôt ce qu'elle écrivait autrefois, quand l'amour était dans la tête et non dans la chair?

L'amour ça existait, la vie était éternelle et tout finissait toujours bien. N'étaient-ils pas la preuve vivante que l'idylle, ça existait? Bobbo et Mary, heureux pour toujours à La Haute Tour? Mais la voix de Mary Fisher chevrotait un peu quand elle le déclarait.

Mary Fisher réécrivit son roman en cachette, en bâclant comme avant, et retrouva la confiance de ses éditeurs et la sienne, du moins pour un temps.

– Chérie, déclara Bobbo qui n'avait pas couché avec elle depuis trois jours – trois jours entiers! – après la sortie du livre, ce n'est pas que tu me déçois, c'est simplement qu'au lieu de changer ton livre tu aurais dû changer d'éditeurs! Puisque tu peux viser plus haut qu'un marché de masse, pourquoi ne te lances-tu pas?

– Parce que ça ne paie pas autant, rétorqua Mary Fisher d'une voix dure, les yeux rivés à la facture d'électricité.

Avant de rencontrer Jonas, le socialiste vieux et riche, elle avait été pauvre. Son père avait quitté la maison quand elle était bébé et sa mère avait reçu un ou deux messieurs pour payer le loyer, Jonas avait été l'un des deux. Le pauvre Jonas n'avait pas fait long feu après avoir épousé Mary Fisher. Et puis une fille s'était manifestée pour contester le testament. Ensuite Mary Fisher avait dû se débrouiller toute seule.

– Nous nous avons l'un l'autre, roucoula Bobbo. Ça ne suffit donc pas? Ma clientèle augmente à vue d'œil. Si tu pouvais m'accorder toute ton aide, ça n'irait que mieux. Et puis tu n'aurais plus besoin d'écrire. Bobbo écarte les lèvres de Mary Fisher avec sa langue et ses cuisses avec son corps, et dit qu'il est tout à elle et elle toute à lui, et c'est peut-être vrai.

Mary Fisher réfléchit à la nature du désir, au moi, au sacrifice. Mary Fisher avait changé et le savait. Le petit noyau dur au cœur de son être frêle était ébréché, il tombait en morceaux. Elle le sentait. Le désir corrode, l'amour, non. Le désir n'est que violents coups de marteau qui brisent et disjoignent. L'amour est un manteau glissant et velouteux dans lequel se cacher. Le désir est réel, l'amour est l'étoffe des rêves, et les rêves sont ce dont nous sommes faits. Des millions et des millions de femmes ne pouvaient se tromper. Non?

Les yeux bleus de Bobbo plongeaient dans les siens; si elle baissait les paupières il les lui relevait avec ses doigts, tendrement. Il voulait qu'elle voie la vérité.

Une partie de la vérité de la vie, notait désormais Mary Fisher, tenait dans la triste nature de sa fin. Le corps et l'esprit de la vieille Mme Fisher étaient déphasés. L'esprit demeurait effronté, buté et froid, le corps gémissait de sa dépendance. Pour qu'elle se tienne tranquille, il fallait lui donner des calmants; si on lui donnait des calmants elle bavait et mouillait son lit ou, pire, les lézardes dans les briques de La Haute Tour. Le personnel se plaignait.

– Que faire? demandait Mary Fisher au médecin.

– C'est l'un ou l'autre, répondait-il. Il n'y a pas de solution idéale. C'est votre mère et vous devez l'aimer et la dorloter, comme elle vous a aimée quand vous étiez sans défense. C'est tout.

C'est dur d'aimer une mère qui ne vous a jamais aimée. Toutefois, Mary Fisher, face à son devoir, ne s'y dérobait pas. Elle essayait.

Mary Fisher commença et termina un roman en l'espace de trois mois. Elle l'intitula *As d'anges* mais ses éditeurs trouvèrent qu'il manquait de conviction. Il était trop compliqué, il lui manquait l'impérieuse simplicité de ses œuvres précédentes. Une sorte de réalité rugueuse ne cessait de s'immiscer. Ça ne plairait pas aux lectrices. Une page d'idylle, une page de fable et une page de réalisme social! Ses éditeurs échangèrent un regard. Eh bien, elle prenait de l'âge. Quel âge? Personne ne le savait.

L'âge de Mary Fisher, Bobbo ne s'en préoccupait pas. Bobbo pensait qu'elle devait avoir la quarantaine – de toute façon elle était intemporelle, sa gorge était ferme, ses petites mains blanches, et le souvenir de la géante et de l'humiliation de son mariage avec un monstre s'effaçait à grande vitesse. Et puis il aimait Mary Fisher et adorait le montrer, il était le mât de cocagne, fort et éternellement solide, autour duquel elle enroulait et déroulait les écheveaux embrouillés de son bonheur.

– Je vous ai entendus! C'est dégoûtant! Animaux! hurla

Mme Fisher, surgissant à l'improviste. Ma fille a cinquante ans ou pas un seul jour. J'ai une preuve. Vous voulez voir son acte de naissance?

– Qu'est-ce que je m'ennuie dans cet endroit minable, ronchonna Nicola, qui avait encore grossi de cinq kilos.

– J'ai envie de vomir, hoqueta Andy, et il vomit partout.

Garcia n'était pas là pour nettoyer – il était chez le vétérinaire avec Lasso, dont la patte avait été méchamment mordue par un des dobermans (pas la femelle) que Lasso avait essayé de monter. Clémence la chatte avait choisi ce jour-là pour faire pipi sur le lit de Mme Fisher. Du moins, Mme Fisher le prétendait-elle. Les deux bonnes donnèrent leur démission. Garcia n'était pas là pour les réduire à l'obéissance par son charme et les œillades de ses yeux marrons et limpides. Un photographe de *Vogue,* qui se présenta à l'improviste et qu'elle n'eut pas la force de renvoyer, surprit Mary Fisher occupée à faire la vaisselle.

Bobbo commençait à trouver pénible le trajet en voiture entre la ville et La Haute Tour. Il lui arrivait souvent de passer la nuit à son bureau ou avec des amis. Des amis?

– Oh, Mary! s'écriait Bobbo. Comment peux-tu être jalouse? Tu sais que je t'aime. Tu es toute ma vie!

Sauf le mercredi soir, songeait Mary Fisher. Où es-tu alors?

Un mercredi soir, Mary Fisher pleura dans le désert de l'amour familial; Garcia l'entendit et vint se planter à côté de son lit, glacial et nostalgique, en souvenir du passé. Elle lui demanda de s'en aller mais il refusa, et que pouvait-elle faire? Il en savait trop et trop peu et, s'il lui donnait sa démission, elle serait perdue. Elle le savait : elle serait brisée par les épreuves que lui réservaient le présent et l'avenir, sans le coussin du passé à glisser entre les deux. Alors elle ne cria pas quand il se coula dans son lit. De toute façon, qui aurait accouru? Les dobermans? Mary Fisher voulait tout avoir et ne rien perdre. Depuis toujours.

L'*As d'anges* de Mary Fisher fut publié, mais de justesse.

Garcia demanda une augmentation. Elle n'avait pas le choix, elle devait la lui accorder malgré les objections de Bobbo.

– Mary, ne devons-nous pas faire un peu attention, non?

– Oh, l'argent!

Elle prit un air de dédain mais sans conviction. Les dernières rentrées de droits d'auteur avaient bien baissé. Peut-être n'était-elle plus à la mode? Personne n'avait filmé un de ses romans d'amour depuis six ans, maintenant qu'elle y réfléchissait.

– Quelle mine a-t-elle? demanda un jour Ruth à Garcia.

Elle lui téléphonait de temps à autres, juste pour savoir comment ça se passait à La Haute Tour. Il lui racontait tout avec empressement et sans remords. Mary Fisher ne lui inspirait plus aucune loyauté.

– Elle commence à faire vieille, répondit-il.

20

Mary Fisher habite La Haute Tour et préfère presque, presque, la mort à la vie. Sous son balcon les vastes océans viennent s'abattre contre le roc indestructible. Où trouver le salut?

Mary Fisher doit renoncer à l'amour, mais ne peut pas. Et puisqu'elle ne peut pas, Mary Fisher doit être comme tout un chacun. Elle doit occuper la place que lui a fixée le destin entre le passé et l'avenir, clopiner entre la vieille génération et la nouvelle; elle ne peut s'échapper. Elle a failli réussir; elle a failli devenir sa propre création.

Mais je l'ai arrêtée. Moi, la diablesse, la création de son amant, mon mari. Et qu'elle ne croie pas que je m'en tiendrai là. J'ai tout juste commencé.

21

On peut toujours gagner sa vie en accomplissant les tâches dont les autres ne veulent pas. Un emploi, on peut d'ordinaire le trouver en gardant les enfants des autres, en s'occupant des fous, en surveillant des criminels emprisonnés, en lavant les w.c. publics, en faisant la toilette des morts ou les lits dans des hôtels miteux. Le salaire est bas, en général, mais suffisant pour maintenir le bénéficiaire en vie. Il y a toujours, comme aiment à le répéter les gouvernements, du travail pour ceux qui en veulent.

Après avoir quitté le service de Mme Trumper, Ruth se rendit tout droit dans un café d'étudiants du quartier universitaire, passa une bonne heure à boire du café et à observer les jeunes qui entraient et sortaient. Elle finit par aborder un jeune homme pâle mais beau, assis tout seul dans un coin avec ses livres et que les autres traitaient avec intérêt et respect. Ils s'approchaient de lui, bavardaient un peu, de temps en temps de l'argent changeait de mains ou des bouts de papier, ou des petits paquets.

– Je me demande si vous pourriez m'aider, hasarda-t-elle.

– C'est ma profession, répondit-il. Mais d'habitude j'aide les jeunes.

– Je recommence ma vie à zéro, expliqua-t-elle, et je

découvre que l'on peut faire bien des choses sans diplômes, mais pas tout.

– Il y a toujours des failles, assura-t-il. Je vois le monde, de plus en plus, comme un tas de vers dans un seau qui rampent à la recherche des failles.

– Un ver c'est petit et mince, corrigea-t-elle, et moi, non.

Il le reconnut et admit qu'une personne dans son genre pourrait bien avoir besoin de diplômes. Ils seraient plus difficiles à obtenir que du sexe ou de la drogue, vu qu'ils nécessitaient beaucoup de main-d'œuvre, de la main-d'œuvre qualifiée, et reviendraient cher. Mais il allait se renseigner.

Ruth obtint deux diplômes d'enseignement général, un d'anglais l'autre de mathématiques, qu'elle paya 50 dollars chacun. Elle avait demandé qu'on les lui rédige au nom de Vesta Rose, un nom qu'enfant elle avait toujours rêvé de porter.

Ruth se rendit ensuite en bus à l'agence pour l'emploi où les chômeurs allaient, pour la plupart en vain, chercher du travail et annonça qu'elle désirait un poste de gardienne de prison. Elle se présenta sous le nom de Vesta Rose et fournit une fausse adresse. Elle prétendit qu'elle avait déjà travaillé à l'étranger dans les professions à vocation sociale. Elle montra ses diplômes.

– Quel joli nom! s'exclama distraitement la fille derrière le bureau; puis elle leva les yeux sur Ruth et sursauta.

Ruth avait tiré ses cheveux très en arrière et sa mâchoire paraissait plus grande que d'habitude, ses yeux plus enfoncés que jamais. À L'Âge d'Or elle avait regagné les kilos qu'elle avait perdus à l'auberge. Les vieilles dames et le personnel de

L'Âge d'Or mangeaient des aliments blancs et mous, riches en hydrates de carbones et pauvres en protéines.

– Il n'y a pas de travail dans les prisons, affirma la fille.

– Je crois que si, à l'hôpital de Lucas Hill.

– Lucas Hill! s'exclama la fille. Ça, c'est autre chose! Ils ont toujours des places là-bas. Vous voulez vraiment aller à Lucas Hill?

– J'ai une amie qui travaille là-bas.

– Alors vous savez quel genre d'endroit c'est? Nous sommes responsables vis-à-vis de l'employé comme de l'employeur. Autrefois ça s'appelait une P.C.M.M., une Prison pour Criminels Malades Mentaux. Ils ont changé le nom mais pas les détenus. Ha-ha!

– Ces gens-là, il faut les plaindre, pas les condamner et certainement pas se moquer d'eux, répondit Ruth.

La fille, nerveuse, appela aussitôt l'hôpital et arrangea pour Ruth un rendez-vous avec le chef du personnel auxiliaire.

L'hôpital de Lucas Hill était un bâtiment neuf et agréable, peint en vert pâle et orné d'un grand nombre de peintures murales composées à la manière des enfants par des artistes qualifiés. Dans les couloirs les malades déambulaient, attendaient, aboyaient et glapissaient, et des infirmières poussant des chariots de médicaments évoluaient parmi eux, distribuant piqûres et comprimés.

Les portes se refermaient pesamment avec un déclic électronique, les fenêtres étaient en verre sécurit. Clés et barreaux étaient inutiles. Certaines infirmières étaient gentilles, d'autres ne l'étaient pas et prenaient plaisir à dominer les faibles. Certaines étaient intelligentes, la plupart non. Ces employées, personne d'autre ne voulait les employer. Elles étaient trop grosses ou trop maigres, trop bêtes ou trop perverses, trop noires ou trop blanches, ou pour une raison quelconque ne présenteraient jamais bien dans un bureau ouvert au public.

Le chef du personnel auxiliaire ne se montra pas trop curieux de l'expérience professionnelle de Vesta Rose. Elle paraissait vigoureuse, compétente et propre, et s'avérerait sans doute moins dangereuse ou perturbée que les détenus, dont bon nombre étaient des assassins, des pyromanes ou des exhibitionnistes patentés. Les pyromanes, ici comme partout ailleurs, étaient les plus craints, les délinquants sexuels, les plus détestés. Certains détenus, bien entendu, étaient là par erreur ou avaient imprudemment plaidé la folie à leur procès et se trouvaient donc incarcérés pour un temps indéterminé; ou bien jusqu'à ce qu'ils puissent prouver leur santé mentale, ce qui à l'hôpital de Lucas Hill n'était pas une mince affaire.

Ruth rencontra quelques difficultés à localiser l'Infirmière Hopkins. Le personnel comptait deux cents membres, les détenus étaient deux mille. Elle finit par la trouver dans l'Équipe d'Intervention Calmants, E.I.C., que l'on pouvait appeler par bip en cas d'urgence. L'Infirmière Hopkins allongeait de tout son long un malade agité et se couchait sur lui pendant qu'on lui administrait une piqûre de tranquillisants.

– J'adore ce boulot, avoua-t-elle à Ruth, autour d'un café à la cantine. On y rencontre des gens tellement intéressants et j'aime me rendre utile.

– Comme toutes les femmes! observa Ruth.

– Il faut bien que certains se chargent des travaux dangereux, poursuivit l'Infirmière Hopkins, en montrant à Ruth les cicatrices que lui avaient laissé des couteaux cachés et des dents pointues. Mais c'est mieux que de rester plantée là à regarder les gens mourir. Avant je travaillais dans une maison de vieux. Ça t'est déjà arrivé, Vesta?

– Jamais, répondit Vesta Rose, la conscience tranquille.

– Évite, recommanda l'Infirmière Hopkins avec ferveur.

Les deux femmes s'entendirent si bien qu'elles convinrent de partager une chambre dans le bâtiment des infirmières.

– Je me sens en sécurité avec toi, avoua l'Infirmière Hopkins. Ici, une bonne partie du personnel est plus dingue que les malades.

L'Infirmière Hopkins mesurait 1 mètre 50 et pesait 95 kilos. Elle avait un problème de glande thyroïde. Lorsqu'elle avait douze ans, ses parents avaient signalé son apathie au docteur; on leur avait alors prescrit de lui donner des extraits thyroïdiens, en vogue à l'époque, qui n'avaient qu'exacerbé son problème. Elle était gelée la plupart du temps et portait des monceaux de pulls, la plupart achetés à l'Armée du Salut.

– Des monstres! Voilà ce que nous sommes toutes les deux, observait bien souvent l'Infirmière Hopkins.

L'Infirmière Hopkins avait plusieurs centaines de milliers de dollars en banque légués par ses parents rongés de remords, mais elle appréciait la sécurité et la régularité que lui offrait son travail à l'hôpital de Lucas Hill, parmi des gens plus bizarres qu'elle. Ruth proposa qu'elles poussent leurs lits l'un contre l'autre, bout à bout, et démontent les pieds afin que les orteils de Ruth soient couverts la nuit et l'Infirmière Hopkins pas trop en courant d'air. L'une si grande et l'autre si petite!

– À nous deux, remarqua l'Infirmière Hopkins, nous ferions deux personnes convenables, quoique toujours un peu enrobées.

Ruth demanda un emploi dans le service dentaire de l'hôpital. On n'y chômait pas. Une épidémie de morsures sévissait; nombre de malades étaient si incorrigibles dans ce domaine qu'il fallait leur arracher toutes les dents. D'autres malades avaient des dents trop pourries pour qu'on les sauve. Le dentiste était un homme âgé originaire de Nouvelle-Zélande, où les pères, fiers de leur fille, se faisaient une joie de leur payer la pose de fausses dents, belles, régulières et indolores. Le docteur s'enorgueillissait de son taux d'extraction et prisait Ruth pour ses mains vigoureuses, sûres et vives. Elle n'était maladroite, semblait-il, que dans les travaux domestiques, comme si ses mains avaient appris à protester bien avant son esprit.

– Plus de dents cassées ni de mâchoires en sang maintenant que vous êtes là, soulignait-il.

Il buvait beaucoup. La dentisterie dont il avait fait sa spécialité – l'art de l'extraction – était tout à fait passée de mode et il ne trouvait du travail qu'au service du gouvernement.

– Quand même, ça compte d'être utile! aimait-il à répéter. Ces pauvres gens – la lie de l'humanité. Ils ont pourtant droit à des mâchoires saines comme tout le monde.

Il admirait la solidité et la taille des dents de Ruth.

– Mais j'aurais préféré naître avec des petites perles bien blanches, avoua-t-elle.

– Qu'à cela ne tienne, répondit-il. Débarrassez-vous des vieilles et mettez-en des toutes neuves.

– C'est bien mon intention, assura-t-elle. Mais j'ai d'autres priorités. Et puis j'ai tout mon temps.

– Les femmes n'ont pas tout leur temps, corrigea le dentiste. À la différence des hommes.

– J'ai l'intention de revenir en arrière, précisa-t-elle.

– Personne ne le peut.

– On peut tout ce qu'on veut, riposta-t-elle, il suffit d'avoir de la volonté et de l'argent.

– Nous sommes ce que Dieu nous a faits, protesta-t-il.

– Ce n'est pas vrai, rétorqua-t-elle. Nous sommes dans ce monde pour apporter des améliorations à Son projet de départ. Pour créer justice, vérité et beauté là où Il a échoué de façon aussi lamentable et manifeste.

À ce point de la conversation, l'E.I.C., Infirmière Hopkins en tête, amena la petite Wendy, la pauvre fille du pavillon Eleanor Roosevelt, pour lui extraire les dents du haut. Aucune dose de Largactil, de Triagrine, ou d'électrochocs ne réussissait à l'empêcher de se manger la lèvre inférieure. Excepté ce besoin de se dévorer, elle semblait aussi saine d'esprit que n'importe qui, et bien plus jolie.

– Vous voyez ce que je veux dire? demanda Ruth.

– Il s'agit là d'un cas extrême, répondit le dentiste. Les voies de Dieu sont impénétrables, voilà tout.

L'Infirmière Hopkins glapit tandis que Wendy, toutes dents dehors, attaquait les assistants. On se précipita sur les seringues ; ensuite ils furent trop occupés pour reprendre la conversation.

Quand le travail manquait un peu dans le service dentaire,

Ruth donnait un coup de main dans le service d'ergothérapie. Là, une moitié des groupes de travail fabriquait des paniers en raphia que l'autre moitié démolissait. Les règlements syndicaux interdisaient la vente des marchandises fabriquées par une main-d'œuvre de prisonniers, et l'argument souvent avancé qu'il s'agissait là d'un hôpital et non d'une prison n'impressionnait personne.

Le samedi après-midi les visites étaient autorisées et le samedi soir les gardiens de prison organisaient une soirée avec les fruits, les gâteaux et le vin que les visiteurs avaient apportés. Les détenus ne pouvaient pas, pour la plupart et selon le jugement des gardiens, apprécier ces friandises. L'expérience prouvait que si on leur en donnait ils devenaient agités et enclins aux récriminations. Il arrivait même que certains pleurent, ce qui était un acte de régression et retardait encore le jour de leur libération.

Il arrivait que des détenus s'échappent, la police les ramenait alors sans tarder et on les enfermait dans une cellule d'isolement pour leur apprendre la reconnaissance. Cette cellule spéciale était capitonnée et ne contenait rien d'autre qu'une cuvette de cabinets sans couvercle. Il y avait une grille à la porte qui permettait de passer des sandwiches au fromage et des cartons d'un assez bon jus d'orange, et un panneau vitré par lequel le personnel pouvait regarder, mais pas les détenus. Les malades restaient souvent une semaine dans la cellule avant que la porte ne s'ouvre. Quand elle s'ouvrait, ils étaient vraiment reconnaissants de leur sort et cherchaient rarement à s'échapper à nouveau.

Pendant ses loisirs, Ruth suivait des cours de secrétariat et de comptabilité en ville. Ils étaient proposés par le gouvernement aux femmes et aux jeunes filles moyennant une somme dérisoire. Ce travail ne connaissait aucun succès auprès des hommes, qui préfèrent dicter les lettres et dépenser l'argent plutôt que de rendre des comptes. Ruth, qui était une élève travailleuse, progressa rapidement dans ses études.

– Pourquoi fais-tu cela? demanda l'Infirmière Hopkins.

– Par ambition, répondit Ruth.

– Mais tu ne comptes pas quitter Lucas Hill? L'Infirmière Hopkins était inquiète, mais pas assez, songea Ruth.

– Pas sans toi, assura Ruth. L'Infirmière Hopkins frissonna de plaisir et Ruth fut ravie.

Un mardi soir, quand Ruth eut le sentiment qu'elle maîtrisait assez les bases de la comptabilité, elle prit le bus pour aller en ville. Elle descendit à Park Avenue, où se trouvait le cabinet de Bobbo, au dixième étage d'un nouvel immeuble de bureaux avec un hall de marbre et des vestibules où résonnait le doux clapotis d'une fontaine. En face de cet immeuble il y avait un fast-food, Ruth s'y assit dans un coin bien sombre et s'attabla devant des pommes de terre en robe des champs inondées de crème fraîche et de ciboulette hachée. Elle attendit, aux aguets, que Bobbo apparaisse. Elle n'avait pas vu son mari depuis le jour où elle avait amené ses enfants à La Haute Tour.

Bobbo sortit accompagné d'une jeune blonde, de toute évidence pas Mary Fisher mais le même style, et vraisemblablement un genre de secrétaire ou d'assistante qui semblait à la fois en adoration et toute timide. Il donna un petit baiser désinvolte à la jeune fille et ils se séparèrent, mais elle resta figée un instant à le regarder d'un air tendre et nostalgique. Il ne se retourna pas. Bobbo paraissait sûr de lui, prospère et en bonne santé, en mesure d'inspirer l'amour. Il héla un taxi et, en traversant la rue au pas de course pour l'attraper, parut un moment regarder droit dans la direction de Ruth. Mais il ne la reconnut pas. Ruth pensa qu'après tout ça n'avait rien de curieux : ils habitaient désormais des univers différents. Bobbo ne connaissait rien de celui qu'elle fréquentait : ceux qui, dans tous les domaines, se trouvent du bon côté, prennent bien soin d'en savoir aussi peu que possible sur ceux qui se trouvent du mauvais côté. Les pauvres, les exploités et les opprimés, par contre, aiment tout savoir de leurs maîtres, contempler leurs visages dans le journal, s'émerveiller de leurs histoires d'amour, découvrir leurs petites manies. C'est, après tout, la seule récompense qu'ils peuvent tirer de l'usage injuste, brutal et quotidien de leurs vies. Ruth reconnaissait donc Bobbo, amant et expert-comptable; Bobbo ne reconnaissait pas Ruth, infirmière et mère abandonnée. S'il était commode et même essentiel pour son plan qu'il ne la reconnaisse pas, elle en fut tout de même indignée. La plus infime étincelle de remords, la plus petite trace des qualités dites féminines – douceur, indulgence, patience et bonté – se trouvaient alors chez elle littéralement gommées.

Bobbo prit son taxi. Ruth attendit que les lumières du dixième étage s'éteignent, puis monta au cabinet de Bobbo. Elle entra avec le passe-partout qu'elle avait pris soin d'empocher avant de mettre le feu au 19 Nightbird Drive. Ses plans, vagues à l'époque, visant essentiellement à braver les interdits, étaient désormais clairs et nets.

Le cabinet de Bobbo avait été récemment repeint en tons chamois et crème. Mary Fisher était passée par là, pensa Ruth. La pièce de travail de Bobbo ressemblait plus au salon d'un hôtel qu'à un bureau; elle contenait un divan assez long et moelleux pour y badiner tranquille avec, probablement, les membres du personnel qui le tentaient. Ça ne devait pas être du goût de Mary Fisher. Les employées – au nombre de six – partageaient avec de nombreux classeurs des lieux beaucoup plus encombrés que ceux où Bobbo prenait ses aises. Ainsi va le monde.

Ruth baissa les stores, alluma un seul spot et avec l'aide d'un des stylos de Bobbo se mit au travail sur les dossiers marqués «Comptabilité clients» classés à la lettre «A». Elle déplaça des sommes théoriques d'un grand livre à l'autre, signa un chèque de 10 000 dollars payable à Bobbo et viré de son compte professionnel à son compte personnel, tapa une enveloppe adressée à la banque, y glissa une carte de visite avec les compliments de Bobbo et la déposa sur la pile de lettres attendant d'être postées. Dans le bureau de Bobbo on postait toujours le courrier le matin, pas le soir – il y avait alors moins de pertes et de retards. Elle se prépara une tasse de café, testa le confort du divan, remit de l'ordre, redressa la photo de Mary Fisher, fouilla dans les tiroirs des employées et trouva une ou deux lettres d'amour, gardées au bureau sans nul doute pour ne pas tomber sous les yeux d'un mari, partit, ferma la porte avec soin et rentra retrouver Lucas Hill et la chambre qu'elle partageait avec l'Infirmière Hopkins.

Elle répéta l'opération chaque semaine, traitant les dossiers sans se presser de «A» à «Z», jusqu'à ce qu'un monceau de dollars soit passé du compte des clients au compte sur livret de Bobbo. Elle fit disparaître toute mention de ces transactions sur les relevés bancaires de Bobbo en effaçant tout simplement les zéros au Tipp-Ex. Bobbo avait toujours classé ses relevés bancaires sans les lire, juste un vague coup d'œil à son compte courant accompagné d'un gémissement. Ceux qui par profession s'occupent des affaires des autres prêtent rarement attention aux leurs. Néanmoins, Ruth voulait se sentir en sécurité, même s'il semblait peu probable qu'il ait changé dans ce domaine, pas plus que dans ses habitudes galantes. Bobbo aimait Mary Fisher, mais donner du plaisir à des inconnues de passage et en recevoir d'elles lui plaisait, comme à bien des gens, hommes ou femmes.

Ce même besoin de sécurité incita Ruth, en définitive, à suggérer à l'Infirmière Hopkins qu'il serait plus confortable de dormir côte à côte plutôt qu'orteils contre orteils. Ruth pouvait supporter d'avoir les pieds à l'air puisque l'été approchait et réchaufferait assez l'Infirmière Hopkins par sa seule chaleur animale. L'Infirmière Hopkins accepta. On déplaça les lits et il y eut force caresses, baisers et expériences sexuelles entre les deux femmes.

– Les femmes comme nous, déclara l'Infirmière Hopkins, en chantant d'un bout à l'autre de l'hôpital, doivent apprendre à se tenir les coudes. Les gens croient que, parce que nous ne sommes pas faites comme les autres, le sexe ne nous intéresse pas, mais c'est faux.

L'activité sexuelle semblait exercer un effet tonique sur l'Infirmière Hopkins : son cycle menstruel devint régulier, son regard s'anima, elle perdit du poids, se dépouilla d'une quantité de couches de lainages et circula d'un pas énergique dans l'hôpital.

Quand Ruth eut travaillé sur tous les dossiers de Bobbo et reposé le «Z» d'une main ferme et joyeuse sur l'étagère, elle eut la conversation suivante avec l'Infirmière Hopkins :

– Voyons, tu ne t'ennuies pas un peu ici? Tous les jours les mêmes cris, les mêmes hurlements, les mêmes corps-à-corps de fous, les mêmes piqûres, les mêmes marches forcées vers la cellule d'isolement. Il ne se passe jamais rien! Pour les malades il y a peut-être de l'animation, trop d'animation même; pour nous, rien du tout.

– Je vois ce que tu veux dire, répondit l'Infirmière Hopkins.

– Dehors, dans le monde, poursuivit Ruth, tout est possible et excitant. Nous pouvons être des femmes différentes, nous pouvons exploiter notre énergie et celle des femmes dans notre genre – des femmes reléguées au foyer qui parfois accomplissent des tâches domestiques, parfois de jolies femmes piégées par l'amour et le devoir dans des existences qu'elles n'ont jamais voulues et poussées par la nécessité dans des métiers qu'elles détestent et qui les tuent à petit feu. Nous pouvons nous lancer dans le monde excitant des affaires, de l'argent, des pertes et profits, et les aider aussi...

– Je croyais que tout ça était d'un ennui mortel, observa l'Infirmière Hopkins.

– Ce n'est qu'une fable inventée par les hommes pour en détourner les femmes, corrigea Ruth. Et il y a aussi cet autre univers du pouvoir qui nous attend – des juges, des prêtres et des médecins, ceux qui dictent aux femmes leurs actions et leurs modes de penser – ça aussi c'est un monde merveilleux. Quand les idées et le pouvoir vont main dans la main – tu n'imagines pas comme ils trouvent ça excitant!

– C'est bien possible, reconnut l'Infirmière Hopkins, mais comment les gens comme nous pénètrent-ils dans ce monde-là?

Ruth chuchota à l'oreille de l'Infirmière Hopkins.

– Mais il faudrait de l'argent, observa l'Infirmière Hopkins.

– Exactement, répondit Ruth.

La fête d'adieu en l'honneur des deux infirmières fut charmante, larmes et rires coulèrent à flots et l'on offrit imprudemment du vin aux malades. Une surexcitation générale s'empara de l'hôpital et donna un surcroît de travail à l'E.I.C. La remplaçante de l'Infirmière Hopkins, une Haïtienne, s'agenouilla avec tant de force sur un malade qu'elle lui brisa une côte, mais les autres membres de l'équipe ne virent pas l'incident d'un mauvais œil. Si, plutôt que de l'espérer, on craignait leur intervention, ils se fatigueraient peut-être moins.

Ruth et l'Infirmière Hopkins trouvèrent des bureaux libres en bas de Park Avenue, côté pauvre, où ceux du haut, côté riche, vont rarement car ici les nouvelles tours élégantes laissent place à des immeubles miteux, la rue se rétrécit et n'est pas bordée par les auvents des restaurants chics, mais par des sacs poubelles entassés très haut contre des devantures crasseuses. Le central téléphonique est le même, toutefois, aux deux extrémités de l'avenue, et les correspondants ne peuvent pas deviner s'ils s'adressent au côté riche ou au côté minable. Ici, avec l'argent de l'Infirmière Hopkins, Ruth lança l'Agence de placement *Vesta Rose*.

L'agence se spécialisait dans la recherche de postes de secrétaires pour des femmes qui revenaient sur le marché du travail – soit par choix, soit par nécessité –, des femmes dotées d'une solide formation mais manquant d'assurance en société après des années de vie de famille. Celles qui s'inscrivaient à l'agence *Vesta Rose* suivaient un recyclage en secrétariat et ce que Ruth appelait « Formation Aisance ». L'agence proposait aussi un service de crèche pour les bébés et les jeunes enfants des femmes inscrites sur ses registres et un service de courses et livraisons pour les dépanner, afin que les travailleuses n'aient pas à courir les magasins à l'heure du déjeuner mais puissent se reposer, au même titre que les hommes, et rentrer chez elles par le bus sans s'encombrer de cabas. Ces privilèges leur coûtaient cher mais elles payaient de bon cœur.

L'Infirmière Hopkins dirigeait la crèche au dernier étage de l'immeuble et si, de temps à autres, elle administrait des calmants aux enfants les plus turbulents, du moins était-elle formée et qualifiée pour le faire et connaissait-elle les effets secondaires à surveiller. Ruth et elle partageaient un appartement à un pâté de maisons de l'agence.

– Où que tu ailles, déclara l'Infirmière Hopkins, je te suivrai. Je n'ai jamais été aussi heureuse de ma vie.

Au bout d'un mois environ après son ouverture, l'agence *Vesta Rose* tournait bien et réalisait même des bénéfices. Les femmes inscrites sur ses registres – et elles surgissaient des banlieues en bus ou en train par centaines – étaient reconnaissantes, patientes, responsables et travailleuses ; et pour la plupart, après une petite formation dispensée par Ruth, elles trouvaient le travail de bureau enfantin, comparé aux complexités des rivalités entre frères et sœurs et aux subtilités de l'entente ou de la mésentente conjugale. Les Vesta Roses, ainsi que l'on se mit à les appeler, furent bientôt très recherchées par les employeurs. L'agence jouissait même d'une petite célébrité, on la présenta comme une réussite sociale, un exemple pour les velléitaires et les pleurnicheuses de ce dont les femmes étaient capables pourvu qu'elles s'y mettent, quand elles n'avaient pas eu la chance de faire un beau mariage! Vesta Rose restait insaisissable, et si elle consentait à accorder de temps à autre une interview téléphonique à la presse, elle n'apparaissait jamais en personne et refusait qu'on la photographie. L'Infirmière Hopkins se chargeait de tout cela avec brio.

– Tu vois! soulignait Ruth, il n'y avait vraiment pas de quoi aller te cacher de la face du monde!

– Mais j'avais besoin de toi pour y arriver, répondait l'Infirmière Hopkins. On n'est pas fait pour se débrouiller tout seul.

Six mois plus tard Ruth avait placé des dactylos, des secrétaires, des comptables et du personnel de restauration dans presque toutes les sphères de la ville. Les clients appréciaient la garantie qu'elle offrait de remplacer dans les deux heures tout personnel ne donnant pas satisfaction, mais n'y avaient recours que rarement, tant cette nouvelle race de Vesta Roses était consciencieuse et pleine de gratitude. L'agence ne prélevait que cinq pour cent de leur salaire, plus les frais supplémentaires pour la garde des enfants, les courses et, à mesure que le temps passait, une laverie et un service de nettoyage à sec. On ne leur soufflait pas de revendiquer leurs droits de Femmes avec un grand «F», ni d'insister pour que leur conjoint s'occupe à part égale des enfants et des corvées domestiques, on se contentait de reconnaître que ce but, quoique louable, se trouvait pour la plupart des femmes vraiment hors de portée, et qu'en attendant, une aide pratique était indispensable si la femme devait conserver son rôle traditionnel de femme d'intérieur et gagner aussi sa vie. Leurs maris rentraient du travail, le dîner était servi, les chemises lavées et repassées, la télévision branchée sur l'émission de leur choix et la vie de la maisonnée s'écoulait comme avant. La satisfaction régnait, si ce n'était la justice.

Chaque semaine, quand ses employées venaient toucher leur salaire moins cinq pour cent – ou parfois jusqu'à cinquante pour cent si elles avaient recours à tous les services de l'agence – Ruth bavardait avec elles, l'une après l'autre, discutait de leurs ennuis, essayait de les résoudre, découvrait des petits secrets, ou parfois des gros, au cas où l'entreprise où elles travaillaient l'intéressait. Il lui arrivait de demander quelques services discrets qu'elles étaient ravies de lui rendre et qui pouvaient réduire considérablement la commission payable à l'agence.

Ruth dût attendre huit mois avant qu'on lui téléphone du

bureau de Bobbo. Elle en profita pour démarrer ce que les banques appellent un «petit mouvement salutaire» dans le compte joint que Bobbo et elle avaient eu autrefois, avant qu'il en ait retiré jusqu'au dernier sou ou presque, peu de temps avant l'incendie du domicile conjugal et qui, depuis, n'avait plus bougé. En fait elle y versa, parfois par chèque ou mandat postal, parfois en espèces et en personne, cent dollars par-ci, mille dollars par-là. Cet argent lui appartenait légalement, elle l'avait gagné dans l'affaire *Vesta Rose* et tira de temps à autres vingt dollars par-ci, cinquante par-là, en espèces ou par chèque, sous le nom de Bobbo. Un jour elle tira deux mille dollars du compte sur livret de Bobbo en signant à sa place, et les versa au compte joint; ceci nécessita de nouvelles visites nocturnes au cabinet de Bobbo et d'autres travaux au Tipp-Ex quand arrivaient les relevés bancaires trimestriels. Toutefois, la petite employée de la banque était une jeune femme charmante, Olga, de l'agence *Vesta Rose*; elle avait à la crèche un enfant autiste soigné par l'Infirmière Hopkins et tenait donc à rendre service. Ce fut elle qui fit passer la fiche de relevé de compte courant de Bobbo de la section mensuelle à la trimestrielle, épargnant ainsi à Ruth beaucoup de travail et d'angoisse. Ce fut Olga aussi qui s'assura que les relevés du compte joint soient perdus à la poste et ne parviennent jamais à Bobbo.

Quand le bureau de Bobbo téléphona à l'agence, ce fut pour demander les services de deux femmes sérieuses et très qualifiées, une secrétaire à temps partiel pour le mercredi et une jeune fille qui donne un coup de main les lundis et vendredis – les jours que Bobbo passait à La Haute Tour. L'agence *Vesta Rose,* avec sa réputation de sérieux, pouvait-elle les aider?

Bien sûr! Ruth envoya Elsie Flower pour la place du mercredi. Elsie était petite, adorable et d'une beauté assez proche de celle de Mary Fisher. Elle avait de petites mains qui volaient sur le clavier et sa nuque se courbait avec grâce au-dessus de la machine. On aurait dit qu'elle s'attendait toujours à recevoir un coup peut-être pas si désagréable. Elle était lasse de son mari – elle l'avait avoué à Ruth. Elle rêvait d'aventure. Ruth pensa qu'Elsie devrait faire l'affaire de Bobbo.

Pour le travail du lundi et du vendredi, Ruth envoya Marlene Fagin. Marlene avait quatre fils adolescents nés de trois pères différents, tous évanouis dans la nature, et appréciait donc particulièrement le service de courses et livraisons de l'agence. Le simple poids de la nourriture pour cinq – et ils adoraient le coca-cola, une substance pesante à transporter en grosse quantité – l'avait épuisée comme jamais ne l'épuiserait aucun travail de bureau. Elle était prête à exécuter tous les petits rajustements dans les livres de compte de Bobbo que demandait Ruth, surtout dans la mesure où il arrivait à cette dernière de souligner que les livraisons en grande banlieue – où habitait Marlene – ne seraient jamais une opération saine d'un point de vue économique.

Le premier vendredi où Elsie vint toucher son salaire, Ruth demanda :

– Et comment avez-vous trouvé votre employeur?

– Coquin, répondit Elsie. Avec la photo de son amie qui nous regardait, en plus!

– Très coquin?

– Il a passé les doigts dans mes cheveux et les a trouvés très soyeux.

– Ça vous a déplu?

– Ça aurait dû?

Les Vesta Roses aimaient s'instruire auprès de Ruth. Ça payait toujours. Il lui arrivait de renoncer à l'intégralité de sa commission.

– J'ai toujours pensé, déclara Ruth, que l'on devrait vivre les expériences au fur et à mesure qu'elles se présentent et ne pas les fuir. La vie est courte. Ce que l'on regrette, à mon avis, ce n'est pas ce que l'on a fait, mais ce que l'on n'a pas fait.

– Je vois, dit Elsie, ravie. Une femme, parfois, attend simplement qu'on lui donne le feu vert.

Marlene raconta la semaine suivante que le bureau de Bobbo bourdonnait de cancans sur Elsie et le patron et que le mercredi soir elle était restée après les heures de bureau.

– Je sais, dit Ruth. Elle a réclamé des heures supplémentaires.

C'était vrai et elle en réclama les six semaines qui suivirent. La septième, quand elle vint toucher son salaire, elle avoua à Ruth :

– Ça va plus loin qu'une simple petite aventure. Vous ne pouvez pas savoir ce qu'il est gentil. Il est vraiment, vraiment à part!

– C'est l'amour?

Elsie se mordit la lèvre inférieure de ses petites dents nacrées et baissa ses yeux bleus.

– Je ne sais pas, répondit-elle. Mais oh, quel merveilleux amant!

– Et votre mari, Elsie?

– Je l'aime, assura Elsie, mais je ne suis pas amoureuse de lui. Si vous voyez ce que je veux dire.

– Oh ça, fort bien! assura Ruth.

– Mais je ne connais pas ses sentiments à mon égard, avoua Elsie.

– Avez-vous confié à – comment s'appelle-t-il, Bobbo? – ce que vous ressentez? demanda Ruth.

– Oh, je n'oserais pas, protesta Elsie. Ce n'est pas si facile. C'est quelqu'un de, voyons, important.

– Mais vous aussi, assura Ruth. Dites-lui que vous l'aimez sinon il risque de croire que vous faites ça tout le temps. De ne pas comprendre que ça compte pour vous.

– Mais j'ai peur de le faire fuir, remarqua Elsie.

– Voyons, comment la vérité pourrait-elle produire cet effet sur lui?

Le lendemain Bobbo téléphona en personne et demanda le remplacement d'Elsie, en vertu de la garantie de l'agence.

– Mais certainement, monsieur, répondit Ruth, avec la voix de Vesta Rose, une voix d'une extrême distinction et plutôt haut perchée. Puis-je vous demander où est le problème? Elle tape très vite et ses recommandations sont excellentes.

– Peut-être, reconnut Bobbo, mais elle est trop émotive. Et selon les termes de votre garantie, puis-je vous le rappeler, aucune question n'est posée et un remplacement est assuré d'office.

– Très bien, monsieur, dit Ruth.

– Est-ce que je ne connais pas déjà votre voix? s'enquit-il.

– Je ne pense pas, monsieur, répondit Ruth.

– J'y suis, s'exclama-t-il. Vous me rappelez ma mère.

– J'en suis ravie, monsieur, assura-t-elle. Et si vous voulez avoir l'amabilité de demander à Mme Flower de se présenter à notre bureau...

– Elle est déjà partie, répartit Bobbo, en versant des torrents de larmes. Dieu sait pourquoi. Je suppose que vous n'avez pas d'hommes inscrits chez vous?

– Non, monsieur.

– Quel dommage, dit-il, et il raccrocha.

Elsie arriva en pleurant chez Ruth. Elle avait avoué à son mari, expliqua-t-elle, qu'elle était amoureuse de Bobbo, son mari avait braillé «c'est la goutte d'eau qui fait déborder le vase» et il était parti. Elle avait alors raconté à Bobbo ce qui s'était passé, combien elle l'aimait, et il avait répondu «Mais c'est du chantage!», et lui avait annoncé qu'elle était renvoyée, qu'à son bureau il n'avait pas de temps à perdre avec des gens qui faisaient du cinéma, qu'il avait trop de travail.

– J'aurais cru, observa Elsie, qu'on pouvait gagner sa place au soleil en couchant avec son patron. Qu'on obtenait une augmentation, des vacances en plus, une promotion... Mais non. On se fait renvoyer plus vite. J'ai gâché ma vie.

– La vie est une perpétuelle leçon, répondit Ruth. Il faut en tirer les enseignements. J'imagine que vous désirez prendre un nouveau départ.

– Oh oui, s'écria Elsie qui n'y avait pas encore pensé.

– Dans un pays lointain et paisible, plein d'hommes séduisants, comme la Nouvelle-Zélande.

– J'ai toujours eu envie d'aller en Nouvelle-Zélande, assura Elsie. Mais comment pourrais-je jamais me payer le voyage?

– Et oui, comment? reconnut Ruth. Ce que nos vies peuvent

être limitées par le manque d'une chose aussi simple que l'argent!

– Ce n'est pas juste! s'écria Elsie. Si j'ai tout raconté à mon mari, c'était simplement pour le secouer un peu, comment me serais-je doutée que ça le secouerait trop? Ce salaud de Bobbo! Je vais me venger.

– Vous pourriez écrire une lettre à son amie, suggéra Ruth. Elle a le droit de savoir ce qu'il se passe.

– Quelle idée formidable! s'exclama Elsie Flower.

Et sitôt dit sitôt fait. Elle ne reçut pas de réponse.

– J'imagine qu'elle s'en fiche, se plaignit Elsie.

– Ça m'étonnerait, assura Ruth.

– Je suis si malheureuse, gémit Elsie. Il s'est servi de moi et puis m'a jetée au rebut comme si je ne valais rien du tout.

– Je me sens responsable, reconnut Ruth, c'est moi qui vous ai envoyée là-bas. Acceptez donc ce cadeau de l'agence *Vesta Rose*.

Et elle tendit à Elsie deux billets d'avion, en première classe, un pour Lucerne sur Swissair et un autre de Lucerne à Auckland sur Quantas.

– Première classe! s'émerveilla Elsie. D'habitude les femmes ne m'aiment pas, et pourtant vous, vous êtes merveilleuse avec moi!

– Il y a juste une petite besogne dont je voudrais que vous vous acquittiez pour moi, répondit Ruth. En Suisse.

– Rien d'illégal?

Elsie, comme tout un chacun, devenait nerveuse quand tout semblait se passer trop bien.

– Juste ciel, non! assura Ruth. Rien qu'une petite opération financière. Les lois fiscales d'ici sont injustes, ce n'est pas nouveau, et en particulier à l'égard des femmes. C'est tellement mieux en Suisse.

– Je ferai tout mon possible, répondit Elsie, assez facile à convaincre comme le sont les gens quand une morale plutôt floue les sépare de ce qu'ils désirent.

– Mais regardez, remarqua Elsie qui examinait les billets, celui pour Auckland est au nom de Olivia Honey.

– Oh oui, dit Ruth. J'avais oublié. Et il y a ceci!

Elle tendit un passeport à Elsie, obtenu sans trop de difficultés grâce au jeune homme du café d'étudiants. Il était aussi au nom de Olivia Honey et portait une photo d'Elsie très flatteuse – l'agence disposait de ce genre de photographies de toutes ses employées. Sur ce passeport elle avait vingt et un ans.

– C'est un nom ravissant, remarqua Elsie.

– Ça dépend des goûts, dit Ruth.

– Je n'ai jamais aimé Elsie, insista Elsie. Et regardez, j'ai perdu cinq ans!

– Regagné, corrigea Ruth. Cinq ans de vie en plus, ou de jeunesse en plus, après tout ça revient au même.

– C'est d'accord! lança Elsie.

– J'en étais sûre, dit Ruth. Ça ne se refuse pas, non?

Ruth transféra environ 2 millions de dollars du compte sur livret de Bobbo sur leur compte joint. Elle écrivit à une banque à Lucerne – les banques suisses ne posent pas de questions – au nom de Bobbo, y ouvrit un compte joint et y versa le chèque de 2 millions de dollars. Olga intercepta la demande-de-confirmation-personnelle sur le bureau du directeur et la transaction se déroula sans anicroche. (En échange l'Infirmière Hopkins adopta officiellement l'enfant autiste d'Olga, rendant ainsi la liberté à Olga de reprendre sa carrière de chanteuse, ce qu'elle fit aussitôt avec succès.) Ruth s'envola pour Lucerne et retrouva Elsie, passa l'argent sur un compte qu'Elsie venait d'ouvrir et attendit qu'il soit soldé. Elsie retira l'argent en espèces, le donna à Ruth, lui fit une tendre bise d'adieu, et disparut dans l'aéroport sous le nom d'Olivia Honey.

Ruth revint en coup de vent à l'Infirmière Hopkins et à l'agence *Vesta Rose*.

– Ma chère, annonça-t-elle, le moment est venu de nous quitter.

L'Infirmière Hopkins pleura.

– Il ne faut jamais s'apitoyer sur son sort, déclara Ruth, et ne jamais rendre ses parents responsables de ses malheurs. Ils t'ont peut-être donné des comprimés à base de thyroïde quand tu étais gamine, mais c'était par amour pour toi, et puis le plus important, c'est qu'ils t'ont légué de l'argent. L'argent il faut s'en servir, pas l'amasser. Je te laisse l'agence *Vesta Rose* à diriger et le petit garçon d'Olga à aimer. Ces deux héritages te donneront bien assez de travail, surtout le second. Trop de travail pour me pleurer longtemps.

– Mais qu'y a-t-il dans cette valise? demanda l'Infirmière Hopkins, un peu rassérénée. Et où vas-tu?

– Il y a de l'argent dans la valise, répondit Ruth. Et je pars vers mon avenir.

Il était temps. La semaine suivante les comptables arrivèrent au bureau de Bobbo pour procéder à la vérification annuelle des comptes. Ils restèrent vraiment très longtemps et retardèrent le travail des employés. Bobbo crut d'abord à un symptôme de leur inefficacité.

Mais quelques temps plus tard un policier se présenta.

– Je n'ai pas la moindre idée de ce que vous me racontez là, assura Bobbo.

– N'essayez pas de bluffer, gronda le policier. Nous avons une idée claire de ce qu'il s'est passé. Alors, elle vous a laissé tomber la petite Mlle Elsie Flower. Où comptiez-vous recommencer à zéro, tous les deux? En Amérique du Sud?

– Elsie Flower ? demanda Bobbo. Qui est-ce? Et en toute sincérité il ne s'en souvenait pas. Les patrons se souviennent rarement des dactylos.

22

Mary Fisher est affolée. Qu'arrive-t-il à sa vie? Son bonheur tient dans un seau brisé, qui fuit de toutes parts. D'abord une lettre au courrier d'une fille qui se prétend la maîtresse de Bobbo. Bobbo nie, bien sûr, mais Mary Fisher sait désormais que ces lettres peuvent être vraies et que celle-ci l'est sans nul doute. Elle comprend maintenant que le malheur doit succéder au bonheur, la malchance à la chance, qu'aimer c'est être vulnérable au destin, et qu'être vulnérable c'est attirer les coups du sort. Bobbo cesse de nier les faits, dit, bon, c'était vrai mais c'est fini, ça ne comptait pas du tout, tu connais les dactylos, arrivées un jour reparties le lendemain, ha-ha, Mary chérie, je n'aime que toi, tu es le soleil de mes jours, la lumière qui me guide, comment peux-tu t'abaisser à être si déprimée par la lettre d'une moins que rien? Une moins que rien malveillante, en plus? Et Mary Fisher lui pardonne, que peut-elle faire d'autre sinon lui pardonner, à part le perdre, et si elle le perd elle se dit qu'elle en mourra.

Et comment peut-elle ne pas lui pardonner avec l'empreinte des doigts de Garcia encore imprimée sur sa peau? Mais oh, le bonheur des uns fait le malheur des autres.

Mary Fisher habite La Haute Tour, en bordure de mer, protégée par des murs d'intimité et de privilège, elle ne fait qu'un avec la nature. Autrefois elle badinait avec le monde, mais désormais, avec l'amour, le monde déferle chez elle. D'abord les enfants de son amant, puis sa mère, Mme Fisher, maintenant il arrive sous la forme d'un policier qui frappe à la porte. Comme les dobermans aboient et gambadent! Elle ne sait rien, Bobbo ne sait rien.

– Ce malheur est l'œuvre d'un destin cruel, assure-t-elle.

– Il est l'œuvre de ta culpabilité, accuse-t-il.

Mary Fisher titube comme si on l'avait frappée. Est-ce que tout est de sa faute? Évidemment. C'est elle, après tout, l'inspiratrice de l'amour qui a causé leur ruine. C'est elle, à l'époque insouciante du non-amour, qui a ordonné à Bobbo de la ramener chez elle, qui a laissé écarter Ruth, qui a fait que ses enfants ont perdu leur vraie mère. Ses responsabilités sont infinies.

Bobbo pleure. «Tout ça ressemble à un mauvais rêve», observe-t-il, et il va maintenant jusqu'à nier que le sol qu'elle foule existe vraiment.

Dans l'esprit de Mary Fisher La Haute Tour chancelle, se désagrège, n'est plus qu'une ruine. Ça serait aussi bien.

Garcia écoute aux portes. Il se délecte de la dégringolade des habitants de La Haute Tour.

– Plus on bâtit haut, me confie-t-il, plus la chute est longue. C'est la justice naturelle.

– Pas si naturelle que ça, réponds-je, et je ris.

Les diablesses dépassent la nature – elles se créent à partir de rien.

Des policiers investissent la tour en l'absence de Mary Fisher, ils fouillent partout, ils trouvent la lettre d'Elsie Flower pliée en quatre dans sa boîte à bijoux, dans le tiroir fermé à clé avec les colliers de perles des amants d'avant et les broches d'émeraudes qu'elle cache aux yeux de Bobbo par faiblesse et nostalgie. Elle n'a jamais tout à fait renoncé au passé au profit du présent, jamais tout à fait.

Garcia les mène à la boîte à bijoux. Il n'a aucune honte, aucun scrupule. Elle l'a trahi. Autrefois Mary Fisher était son soleil, maintenant elle n'est rien, elle a frayé avec Bobbo, elle est devenue ce qu'il est – rien du tout.

La police ferme la cabinet de Bobbo, scelle les portes, confisque les livres de compte.

«Je ne comprends pas», c'est tout ce qu'il sait dire. «Mary, je t'aime.»

Mary Fisher attend dans La Haute Tour le réconfort de ses amis, mais personne ne l'entoure. Que peuvent-ils dire? Ton merveilleux jules, ton amant, nous a escroqués. Nous sommes des écrivains, des gens de talent, détachés de ce monde, confiants, et que nous as-tu fait? Ton merveilleux jules, pas si merveilleux que ça, s'apprêtait à filer avec sa dactylo, mais elle a disparu avec le butin! Par bonté pour Mary Fisher les amis se taisent.

Bobbo attend dans La Haute Tour et devient morose. Il ne se rase plus, son menton s'amollit, les poils de ses bajoues grisonnent.

– Crois-tu en moi, mon amour? demande-t-il.

– Je crois en toi, assure Mary Fisher.

– Alors sauve-moi, implore-t-il.

Mary Fisher engage les avocats les plus chers du monde. Elle les fait venir en avion de l'autre bout de la terre. L'anglais n'est pas leur langue maternelle; elle doit aussi engager un interprète. «Ça reviendra cher, la préviennent-ils. Ce genre d'affaire peut durer des années.»

«Oh, Bobbo, gémit Mary Fisher, si seulement tu ne m'avais pas été infidèle, ça ne serait jamais arrivé.» À ces mots, elle voit l'amour se retirer des yeux de Bobbo, et tel un cours d'eau qui cherche son niveau, il déferle en elle, et voilà son destin scellé. Moins il aimera, plus elle aimera.

On frappe à la porte de La Haute Tour à trois heures du matin. C'est la police. Mary Fisher téléphone à ses avocats dans leur hôtel de luxe mais ils ne peuvent pas comprendre ce qu'elle raconte. Leur interprète est ailleurs. On emmène Bobbo.

Le lendemain matin on retrouve l'interprète qui traduit : «L'incarcération représente les neuf dixièmes de la loi. Nous ferons notre possible.» Et c'est ce que font les avocats, mais cela semble admirablement peu. Ils demandent la mise en liberté sous caution et s'installent pour préparer au mieux le dossier – difficile et épineux – de leur asile politique. Un pays peuplé de Mary Fisher, ça leur plaît!

Mary Fisher met sa maison en vente; le moment est mal choisi pour vendre. Ses avocats assurent qu'une maison ne suffit pas. Combien en avez-vous? Trois, c'est tout? Oh la la! Eh bien, ça nous mènera tout juste à la fin du procès. Celui-ci est prévu dans neuf mois. De tels délais sont inévitables, l'époque étant ce qu'elle est, et le juge désigné un certain Henry Bissop, un homme imprévisible, populaire et débordé. Mais ils vont se démener pour obtenir la mise en liberté sous caution de Bobbo, pour le rendre aux bras de Mary Fisher.

Garcia ne vient plus voir Mary Fisher la nuit. Il a tout à fait perdu son appétit pour Mary Fisher. Il aime l'entendre pleurer. Pourquoi essaierait-il de stopper ses larmes?

Mary Fisher passe des nuits blanches, toute seule et pleure faute de Bobbo. Il est son enfant, son père, son tout le monde, son tout et tout. Sa seule consolation c'est qu'en prison il ne peut guère la tromper.

Au-dessus de La Haute Tour les constellations gravitent comme si rien de fâcheux ne s'était passé ici sur la terre. Mary Fisher se demande si Bobbo peut voir le ciel dans sa cellule et s'il pense à elle. Quand elle va le voir ils n'en parlent jamais.

23

Le juge Henry Bissop vivait entouré de luxe dans une maison perchée sur une colline avec vue sur la ville. La maison venait tout juste d'être construite dans une sorte de ciment rougeâtre et plissé hyper verni, imitation brique mouillée. Elle était posée au milieu d'un demi-hectare d'herbe en plastique, que l'on pouvait entretenir au tuyau d'arrosage plutôt qu'à la tondeuse. Le juge craignait les voleurs – il en avait tant vus – aussi la maison était-elle criblée de serrures, de barreaux et de volets, mais l'on avait fait de nécessité vertu, et le tout avait été fabriqué en fer forgé tarabiscoté par un maître-artisan. Sous certains angles on aurait cru un château, sous d'autres un bungalow.

À l'intérieur, les tapis violets étaient les plus épais que l'on puisse trouver, les nombreux petits abat-jour, du satin rose soutaché d'or le plus délicat, et les divans rebondis du cuir orange le plus cher que l'on puisse imaginer. Les murs étaient lambrissés d'acajou verni ou tapissés de bourre de soie violette comme on en voit dans les restaurants indiens. C'était là le goût de Lady Bissop, pas celui du juge, mais il lui laissait carte blanche dans ce domaine et dans aucun autre. Il aimait, lorsqu'il faisait entrer les visiteurs au salon, observer l'expression de leur visage, surprendre la lueur de désarroi vite réprimée. Au tribunal, c'était à l'observation de telles lueurs fugaces et à la rapide interprétation qu'il en tirait, qu'il devait le plus clair de sa réputation de sagesse, et il ne s'en lassait pas.

Il est vain, songeait le juge, d'avoir un talent inné pour repérer les menteurs – il fallait y travailler, le développer, observer les oreilles que l'on frotte, la langue qui passe sur les lèvres, le regard qui se dérobe.

– Le décor vous plaît?

– Euh, oui, Président. Splendide!

– Une idée de ma femme, entièrement. Elle a un beau brin de talent, non?

– Absolument, Président.

– Et quelle fille ravissante!

– Absolument. Vous êtes un homme heureux, Président.

Des mensonges, rien que des mensonges!

Lady Bissop, quoique beaucoup plus jeune que son mari, n'avait rien d'une beauté. Voilà pourquoi il l'avait choisie. Il craignait la séduction des belles choses, il craignait l'ironie de la vie. Il en avait trop vu et trop entendu. Allez au concert et un voleur file avec votre harpe. Faites peindre le portrait de votre femme et elle file avec l'artiste. Contemplez trop longtemps la beauté d'une fleur, émerveillez-vous devant la nature de la création, vous perdez aussitôt votre prise sur l'univers et toutes sortes d'événements imprévus vous assaillent et vous accablent. Si le Juge Bissop avait une vision de Dieu, c'était celle d'un grand scénariste dans le ciel, produisant à la chaîne des scénarios de série B truffés de coïncidences, d'événements improbables et de mobiles incroyables.

Donc Lady Bissop n'était pas le genre de femmes avec qui partaient les peintres ou pour qui Troie tombait; elle avait un gros nez, un menton fuyant, des yeux assez ternes et une moue déçue. Elle avait donné au juge deux fils qui tenaient d'elle, des garçons tranquilles et bien élevés. Le juge les formait comme il avait été formé enfant, s'ils l'agaçaient il attrapait ce qu'il avait sous la main – sable, terre, sel – et le leur fourrait dans la bouche. C'était désagréable mais sans risque (jusqu'à un certain point), rapide et efficace. Les enfants prirent soin, au fur et à mesure qu'ils grandissaient, de ne pas agacer ni déranger leur père. Le juge pensait qu'ils en étaient d'autant plus heureux, et si Lady Bissop ne partageait pas cet avis, elle n'en soufflait mot.

Le juge, même à soixante ans, était un homme d'une merveilleuse beauté – grand, les épaules larges, les traits réguliers, maître de soi. Il avait une chevelure abondante, blanche comme neige, qu'il faisait couper chaque semaine. Quand la magistrature se faisait prendre en photo, on poussait le Juge Bissop au premier plan, car il avait l'allure du juge idéal – distingué, sage, ferme mais bon.

Le juge prenait son travail au sérieux. Il savait qu'il devait se tenir au-dessus de l'homme ordinaire, se garder de l'erreur, se protéger de la corruption. Il se considérait comme un homme rare; ils étaient si peu nombreux prêts à plonger la rapière effilée de la justice dans la substance vulnérable de la société. Qu'il était difficile de disposer de la vie d'un autre homme quand il ne vous avait rien fait, qu'il était bizarre de lui voler son temps à l'année – douze mois pour ceci, dix-huit pour cela, une douzaine d'années pour autre chose encore. Qu'il était troublant d'être celui qui déclarait ceci est mal, ceci est pire, pour ceci ça va barder! Mais il en était ainsi. Et c'était, en vérité, une vocation. De naissance.

La famille du juge avait son rôle à jouer, c'était la punition que lui infligeait le destin en échange de son intimité avec un homme aussi exceptionnel. Elle devait prendre soin de ne pas le réveiller la nuit, de ne pas le fatiguer avec ses réclamations, ni l'irriter avec ses bavardages. Elle devait exister – car un homme fonctionne mieux s'il se lance dans le monde en partant d'un décor familial où il peut laisser libre cours à ses fiévreuses énergies sexuelles et procréatrices. Mais il ne faut pas trop laisser voir (ou entendre) son existence.

Lady Bissop avait passé bien des nuits à arpenter les pièces de la maison les plus éloignées de la chambre du juge, un bébé en pleurs dans les bras, puis, le matin tôt, quand ses enfants grandirent, à leur chuchoter à l'oreille pour que leur babil enfantin ne le réveille pas. Et pourquoi pas? L'avenir de quelque pauvre scélérat ne dépendait-il pas de son humeur de la matinée? Cinq ans de prison ou quinze?

Le Juge Bissop ne voulait pas se sentir coupé du flux et du reflux de la vie ordinaire. Il avait besoin de garder l'oreille plaquée aux événements, de saisir les vibrations du mécontentement populaire, les grondements de l'opinion. Il appartenait, après tout, au service public; mais il devait aussi avoir l'esprit tortueux, penser à l'avenir. Montrez-vous sévère avec un violeur à présent et vous risquez d'anticiper le jour où les masses exigeront la castration par force de tous les délinquants sexuels. Montrez-vous indulgent avec un bigame aujourd'hui, et vous retardez le moment où toutes les lois du mariage seront abrogées. La voix du peuple doit être entendue, mais comment l'entendre quand le peuple insiste pour que ses juges soient hors de portée, juchés sur des trônes, coiffés de perruques, dans des tribunaux qui ressemblent plus à des théâtres qu'à des salles de délibérations?

Alors le juge lisait les journaux populaires dès qu'il en

trouvait le temps, et échangeait des banalités dès qu'il en avait l'occasion avec les rares membres du public qui croisaient son chemin – vendeurs de journaux, de programme à l'opéra, serveurs, son coiffeur, ses employés de maison.

Son épouse avait engagé récemment, par l'intermédiaire d'une agence de placement de la ville, une femme très grande et laide nommée Polly Patch. Ses références étaient excellentes, elle avait deux diplômes d'enseignement général et un de puériculture (niveau supérieur). Son épouse l'avait prise comme bonne à demeure.

Le juge ne pensait pas qu'elle durerait longtemps. Lady Bissop engageait et renvoyait sur des coups de tête. Un jour, se sentant seule, elle confiait ses chagrins à la bonne, le lendemain, se sentant mieux, elle se plaignait que l'on abusait d'elle et exigeait un départ immédiat. Il n'y avait pas de réparation – le personnel de maison dépend des caprices de ceux qu'il choie. Le juge espérait que Polly Patch resterait au moins un bon mois. Il trouvait les gens laids intéressants. Il lui semblait qu'ils étaient en contact avec une réalité, un savoir qui lui avaient été refusés. Son chemin dans le monde, songeait-il, avait été trop facile grâce à sa beauté, son milieu, son intelligence. Il était la gloire de ses parents, le triomphe de son école, la fierté de sa profession, mais où était-il, lui? Il pensait que Polly Patch, passant une porte à pas pesants, occupée aux travaux subalternes de la garde d'enfants, pouvait bien connaître les secrets de la réalité sur le bout de ses doigts épais et être celle qui les transmettait. Alors il saurait ce qui se passait vraiment. Un homme, même un juge, doit avoir quelque chose ou quelqu'un contre quoi ou qui se mesurer s'il veut se connaître. Il suffisait au juge de claquer des doigts, sa femme et ses enfants se fondaient dans le papier peint, ils disparaissaient. Difficile de faire disparaître Polly Patch.

À son grand soulagement, Mlle Patch n'abusait pas des confidences de son épouse et ne paraissait pas risquer le renvoi. Mieux, elle semblait intimider Lady Bissop. Polly Patch avait des yeux assez protubérants qui de temps à autres jetaient des lueurs roses – peut-être simplement à cause du goût de Lady Bissop pour l'éclairage rose – mais qui toutefois imposaient le respect. Elle était, d'après le juge, deux fois plus grande que sa femme et deux fois plus intelligente. Son physique, sans nul doute, jouait contre elle sur les marchés du travail et du mariage, ce qui la cantonnait à s'occuper d'enfants. Ou peut-être, comme tant de femmes, désirait-elle simplement un foyer, des divans, des lits, des cheminées et des portes verrouillées la nuit contre les intrus, un rituel quotidien de travail et de loisir, le doux ronron de la machine à laver, et comme elle ne pouvait l'obtenir toute seule, elle avait trouvé la meilleure solution, s'engager comme domestique chez quelqu'un d'autre.

Le juge se montra d'abord un peu méfiant à l'égard de ce nouveau membre de sa maisonnée – les hommes et les femmes qui se présentaient devant lui, les criminels, les inadaptés, les paumés, payaient peu de mine pour la plupart (sinon, ils avaient plus de chance de se voir acquittés, les jurys étant ce qu'ils sont). Il savait que c'était une erreur de supposer que, parce que tous les criminels reconnus coupables sont laids, tous les gens laids sont des criminels, mais le sentiment déconcertant demeurait que c'était là la vérité. Peut-être était-elle l'extrémité effilée de la cale d'un cambrioleur, venue surveiller la maison, dérober tous ses biens matériels? Un jour il risquait de rentrer chez lui et de trouver les tapis violets, l'horrible argenterie design, les tableaux surréalistes, envolés; dérobés par un gang pour qui elle tirait les marrons du feu? Il vint à en douter. Elle avait un goût inné – elle retournait les courtepointes des enfants afin qu'elles soient d'un brun doré et non plus ocre vif, et qu'il n'ait plus à grincer des dents quand il entrait dans leur chambre les embrasser pour la nuit. (Il y allait chaque soir, de façon rituelle, sachant fort bien que les garçons faisaient juste semblant d'être endormis. Pourquoi sa famille serait-elle différente du reste du monde, pourquoi moins fourbe?) Et si un goût inné ne constituait pas un obstacle pour s'adonner aux activités criminelles, cela n'y prédisposait pas. Cela risquait plutôt, au contraire, de créer une victime – la personne volée et non pas le voleur. Le juge finit par lui accorder sa confiance. Il aimait sa façon de soulever les enfants, de les fourrer sous son bras avec aisance et de les faire disparaître s'ils se chamaillaient ou pleurnichaient.

Ce fut sur la question du beurre de cacahuètes que Polly Patch finit par gagner son cœur. Henry Bissop interdisait le beurre de cacahuètes chez lui avec colère et incohérence, poussé à la déraison et à la fureur par l'absence d'intelligence de ceux avec qui son destin lui commandait de travailler et vivre – par, en vérité, le reste du monde. Il lui avait été signalé récemment et de façon imprudente, par un groupe de sociologues statisticiens enquêtant sur les causes des crimes, que la majorité des gens qui les commettaient avait consommé, à l'époque du méfait, une quantité anormalement importante de beurre de cacahuètes.

De telles statistiques fallacieuses le révoltaient – il était évident aux yeux du juge que ledit beurre de cacahuètes était consommé en prison en attendant le procès (le beurre de cacahuètes constitue la denrée de base de l'alimentation des prisons), la question de la criminalité étant, dans l'enquête, déterminée par la condamnation de l'acte, pas sa perpétration, un point qui avait échappé aux auteurs s'étant rendus coupables de cette enquête. Aussi, quand les avocats de la défense mettaient en avant telles ou telles statistiques commodes mais hâtives afin de montrer leurs clients sous un jour favorable ou pour rejeter leurs fautes sur la société, il suffisait au juge de dévisager l'avocat et de déclarer : «Il n'y a jamais de beurre de cacahuètes chez moi. Je ne veux pas que mes enfants deviennent des criminels», et leur voix vacillait, leurs arguments partaient en eau de boudin. C'était une plaisanterie, mais ils ne la trouvaient pas drôle.

Le juge vivait avec la faible lueur d'espoir qu'un jour son épouse, Maureen, s'élèverait contre l'interdiction du beurre de cacahuètes – l'aliment préféré des enfants –, mettrait en doute les statistiques et le prendrait à partie, mais elle ne s'y hasardait jamais, pas plus que les avocats. C'était peut-être trop attendre d'elle qu'elle fasse preuve d'intelligence là où des hommes de droit très compétents n'y parvenaient pas. Toutefois il frémissait et gémissait face à l'incompréhension, et infligeait, à titre de punition, une maison sans beurre de cacahuètes.

Lady Bissop, avec les années, était devenue plus docile encore, plus consentante, moins raisonneuse. Il avait le sentiment qu'elle retombait en enfance, que face à la croissance des autres elle était en pleine décroissance. Il craignait qu'un jour prochain il ne se retrouve à lui fourrer du sel dans la bouche comme si elle était sa fille et non sa femme. C'était pour que son épouse demeure une femme adulte aux fonctions normales, et non une personne régressant à grande vitesse au stade de fillette pré-pubère, qu'il la soumettait à des pratiques sexuelles extrêmes, confia-t-il plus tard à Polly Patch. Tant qu'il lui pincerait le bout des seins avec ses dents jusqu'à ce qu'elle hurle, ses seins ne disparaîtraient pas. Tant qu'il pourrait tirer en tournant sur ses poils pubiens, ils continueraient à pousser. C'était pour son bien.

La condition de juge, ce fut ce qu'il expliqua à Polly,

imposait d'autres tourments – il y avait, par exemple, l'énergie sadique qu'elle stimulait chez les magistrats. Le même frisson de peine et de plaisir mêlés, que la description d'une mort violente ou d'un sale accident envoie darder dans les reins de l'auditeur, darde et s'attarde dans les reins de ceux qui sont habilités et même requis à infliger la peine, à prononcer la condamnation. D'habitude, parce que la magistrature est si vieille et affaiblie, le frisson, qui porte en lui la nécessité d'une libération sexuelle, passe inaperçu. Mais le Juge Bissop était vigoureux et sexuellement actif et Lady Bissop, en tant qu'épouse, était à la merci des exigences occasionnées par la profession de son mari. Comme l'épouse du médecin doit répondre au téléphone, comme la femme du marin doit supporter ses absences, la femme du juge doit supporter sa cruauté.

Le juge, dans son intérêt et celui de son épouse, regroupait tout un mois de condamnations en une seule semaine, à la fin de laquelle Lady Bissop était trop meurtrie et sanguinolente pour descendre prendre le petit déjeuner; mais il lui restait au moins les trois semaines suivantes pour se remettre. Le juge ne manquait pas de bon sens. Elle avait désiré le prestige et l'argent qui allaient de pair avec le rôle de femme de juge et devait accepter les rudesses comme les douceurs.

Le juge confia tout ceci et plus encore à Polly Patch. Il avait fini par lui accorder toute sa confiance, elle avait résolu avec tant de brio la question du beurre de cacahuètes. Ils s'asseyaient dans le salon violet à côté du feu de cheminée au gaz, une fois les enfants mis au lit et Lady Bissop partie macérer dans un long bain chaud.

– Vous vous êtes peut-être demandé pourquoi j'interdis le beurre de cacahuètes dans cette maison! avait fini par déclarer le juge. La raison en est que la plupart des gens reconnus coupables de crimes violents en ont toujours récemment mangé des quantités astronomiques.

Polly Patch réfléchit un moment.

– Peut-être, observa-t-elle, parce que la plupart des gens accusés de crimes violents qui passent devant un tribunal sont restés en détention préventive pendant quelques semaines, quelques mois, voire quelques années – tant nos prisons sont surpeuplées. Le beurre de cacahuètes n'a rien à voir avec le crime ou le caractère du criminel. Vos enfants peuvent en manger sans crainte!

Le juge avait saisi avec chaleur sa grande main, il eut le sentiment qu'il pouvait se confier à elle. Elle prêtait attention au contenu du discours, pas au statut de l'orateur. C'était rare. Il l'estima. S'il n'avait pas déjà épousé Maureen, il songea qu'il aurait bien pu choisir Polly Patch. Qu'il serait agréable, songea-t-il, d'avoir quelqu'un de proche qu'il n'intimide pas. Ils étaient aussi de la même taille et ça lui plaisait. Il avait tendance, il le savait, à brutaliser les plus petits que lui, et il y en avait tant, surtout chez les femmes. Avec Polly le juge réussissait à discuter de ses affaires, prononcer les condamnations devenait un fardeau beaucoup plus léger et beaucoup moins stimulant sexuellement et sa façon de traiter Lady Bissop par conséquent moins extrême, ce qui diminuait l'angoisse du juge, mais le rendait mélancolique – une version plus passive et agréable des sentiments de malaise incitait un homme non pas à l'action mais à la contemplation.

– Gagné d'un côté, perdu de l'autre, remarquait-il avec tristesse. La somme du malheur humain demeure toujours égale, il incombe au juge de la modifier légèrement pour rétablir un peu de justice, mais gagnez de la justice ici vous en perdez là! Mon épouse est précisément celle qui perd. La justice est une bascule et je me trouve au pivot. L'impartialité est assise à un bout, Lady Bissop à l'autre, et à chaque descente, boum, c'est le choc!

Il raconta l'histoire d'une femme qui avait assassiné son mari en l'empoisonnant à petit feu pendant trois ans. Mais le mari avait assassiné sa femme à petit feu par sa cruauté pendant beaucoup plus longtemps – six ou sept ans. Elle avait commencé à lui administrer le poison le jour où elle s'était sue atteinte d'un cancer. Le cancer avait connu la rémission du jour où le mari était mort. Qu'en pensait Polly Patch?

Les yeux de Polly Patch étincelèrent et elle répondit qu'au bout du compte tout le monde mourait. C'était la façon de vivre qui comptait.

– Si elle plaidait plutôt la folie, au moins je pourrais me contenter de l'envoyer dans un bon hôpital psychiatrique, observa le juge.

Polly Patch ne trouva pas que c'était une bonne idée. Ils discutèrent pour savoir si la meurtrière devait purger sept ans de prison, cinq ans ou trois. Les nombres impairs semblaient préférables aux pairs, en matière de meurtre. La préméditation jouait contre elle, la provocation pour elle. La justice devait infliger un châtiment sinon le pays serait bientôt jonché de maris défunts, mais pas un châtiment trop sévère sinon les épouses défuntes poseraient un problème plus aigu encore qu'il ne l'était déjà.

Ils s'entendirent pour trois ans, plus quelques sous-entendus limpides et pleins de compassion dans les commentaires du juge, si bien qu'elle avait toutes les chances d'obtenir très vite la mise en liberté surveillée.

– Prononcer une condamnation, c'est comme noter un

devoir, observa Polly Patch. B moins, C plus plus, D plus moins, etc.

– Tout à fait, reconnut le juge, mais c'est beaucoup plus excitant.

Au moment de se faire engager, Polly Patch avait demandé du temps libre pour se rendre chez le dentiste, et chaque fois qu'elle y allait elle rentrait soit avec une dent en moins soit une dent limée jusqu'à l'os.

– J'espère que vous allez chez un bon dentiste, s'informa timidement Lady Bissop. Elle se demandait pourquoi les dents de Polly, grosses mais de toute évidence solides, devaient disparaître; pourtant elle n'osait pas lui poser la question de peur de la vexer. Elle ne voulait pas que Polly lui donne sa démission. Bien au contraire, elle voulait la garder pour toujours, car le juge l'aimait bien et sous son aile protectrice les enfants devenaient exubérants et semblaient heureux. La vie de la maison coulait sans heurt et le juge, moins angoissé par ses condamnations après ses discussions avec Polly, la laissait, elle, Lady Bissop, tranquille la nuit. Il avait complètement oublié sa passion zélée pour le bondage et les fouets, ce dont – une fois qu'elle se fut consolée de l'humiliation de se voir préférer sa bonne, du moins en matière de conversation – elle ne put que se réjouir.

– Le meilleur dentiste de la ville, répondit Polly d'une voix un peu pâteuse. Et sans nul doute le plus cher.

– Que vous fait-on, exactement? demanda Lady Bissop avec prudence.

– Je me fais remodeler la mâchoire en vue de mon avenir, expliqua Polly.

Lady Bissop pensa : la pauvre, quel intérêt? Si l'on diminuait la mâchoire, le front deviendrait plus frankenstein que jamais.

– J'imagine que vous avez raison d'essayer d'améliorer la nature, admit-elle toujours perplexe.

– Raison ou non, là n'est pas la question, répondit Polly avec fermeté. C'est ce que je veux. Mais je trouve agaçant que tout cela soit si long. Ça ne fait rien. En attendant, je ne perds pas mon temps.

– Dieu nous met au monde à dessein, reprit Lady Bissop. Nous devrions sûrement nous accommoder de ce qu'Il nous donne, en matière de nez, dents et le reste.

– Ses voies sont bien trop impénétrables, protesta Polly, pour que je continue à m'en accommoder.

L'éducation de Lady Bissop l'avait amenée à croire que la fonction d'une femme consistait à s'adapter à l'époque où elle vivait, à sa famille, que Dieu réalisait Ses desseins grâce au consentement de Ses humbles serviteurs et qu'il n'y avait pas à discuter. Elle se signa, effarouchée. Mais tout de même, elle ne voulait pas perdre Polly.

– Tant que ça n'effraie pas les enfants, conclut-elle, je n'ai rien à redire, je suppose.

Les enfants paraissaient tout à fait heureux de la mâchoire béante de Polly. Ils scrutaient le trou noir de sa bouche et piaillaient de plaisir – des dragons vivaient tout au fond, racontaient-ils. Des dragons et des démons. Ils dessinaient des démons et des dragons que Polly punaisait aux murs. Lady Bissop craignait que ses enfants n'aient des cauchemars. Ils n'en firent jamais. Toute la maisonnée dormait sur ses deux oreilles : juge, épouse, nounou, enfants et tutti quanti.

Les enfants allaient se coucher à huit heures, Lady Bissop

suivait ensuite à dix heures. Le juge et Polly restaient ensemble devant la cheminée jusqu'à minuit, et ce qui devait arriver arriva.

Le Juge Bissop était chargé d'une affaire particulièrement intéressante dont il discutait abondamment avec Polly. L'affaire avait traîné en longueur pendant des mois, le temps que les avocats du défendeur essaient, en vain, d'organiser leur défense. La concubine du défendeur ne cessait de s'interposer, de congédier des avocats et d'en engager d'autres.

– La loyauté chez les femmes est une chose stupéfiante, observait le juge. Plus l'homme est un gredin, plus la femme est aveugle. Je l'ai souvent remarqué.

L'affaire concernait un expert-comptable qui avait escroqué ses clients sur une petite échelle pendant des années – en négligeant de verser les intérêts reçus sur des sommes d'argent qu'il avait détenues pour leur compte et en conservant cet argent par devers lui beaucoup trop longtemps. C'était une pratique assez répandue chez les experts-comptables. La tentation était forte, surtout en périodes de forts taux d'intérêt, mais illégale d'un point de vue technique, bien sûr. Ensuite, toutefois, la fripouille avait fait pire. Il avait investi des sommes d'argent qu'il avait à charge d'administrer pour ses clients, dans des spéculations monétaires rapides et infaillibles, pour lesquelles heureusement il avait du flair – une mystérieuse façon de savoir dans quelle direction les cours monétaires allaient bouger. Ses clients, bien sûr, ne touchaient jamais les bénéfices qui disparaissaient des livres de comptes pour finir vraisemblablement dans sa poche.

L'expert-comptable clamait sa complète innocence et prétendait qu'on avait falsifié ses livres de comptes. « Les criminels en col blanc, souligna le juge, s'obstinent toujours à nier leur culpabilité. Ils sont sûrs de pouvoir berner le monde. Les cols bleus, au contraire, sont trop contents d'avouer, parfois bien plus qu'il n'est besoin, puis de s'en remettre à l'indulgence de la cour.» La maison de l'expert-comptable avait brûlé, et beaucoup de dossiers avec, ce qui embrouillait la question.

– Que ça tombe bien! souligna Polly, et le juge et elle avaient ri d'un air entendu.

– L'audace de cet homme ne connaît pas de bornes, s'indigna le juge. Ses premières fraudes étant passées inaperçues, il s'était lancé dans le détournement de fonds sur une grande échelle. En quelques mois il a transféré de fortes sommes – s'élevant à des millions de dollars – sur son compte personnel, et de là dans une banque suisse sur le compte d'une jeune femme avec qui il avait une aventure.

– Sa maîtresse! s'écria Polly. Et j'imagine qu'ensuite il comptait simplement changer de nom et recommencer une nouvelle vie avec elle?

– Ça semble évident.

– Et sa pauvre femme, alors? demanda Polly. J'imagine qu'il était marié. Ces gens-là le sont, d'habitude.

– Elle a disparu il y a un bout de temps, après l'incendie.

– Que ça tombe bien, remarqua Polly. Je trouve qu'il a de la chance d'être simplement accusé de fraude et pas d'incendie volontaire et de meurtre par-dessus le marché!

– Un homme à l'énergie sexuelle considérable, confia le juge en étirant ses longs membres qui manquaient d'exercice et en regardant les jambes épaisses et couvertes de duvet de Polly.

Elle portait des chaussettes blanches et des pantoufles blanches en peluche qui contrastaient violemment avec sa peau foncée et son absence totale de moelleux, et incitèrent le juge à songer à la frontière entre la réalité et l'illusion, le fait et l'artifice, et tinrent son esprit dans un vide étrange, que seul apaiserait, commença-t-il à comprendre, un violent contact physique avec elle, une sorte d'assaut sexuel.

– Une fois débarrassé de sa femme il est parti vivre avec sa maîtresse qui écrit des romans à l'eau de rose. Il faut que je demande à ma femme si elle en a lu. Mais depuis le début il projetait le grand voyage, la nouvelle vie avec quelqu'un de tout à fait différent, et l'argent de ses clients, une fois encore.

– Ça se présente plutôt mal pour lui, remarqua Polly Patch.

– Ah ça, oui, reconnut le juge.

Les seins de Polly étaient plus gros que nature. Elle aussi d'ailleurs.

– Et alors, qu'est-ce qui a mal tourné?

– Il s'est passé quelque chose. Sa Miss Suisse a dû filer avec l'argent, ou peut-être attendait-il son coup de téléphone, nous l'ignorons. Les comptables ont débarqué, ont flairé l'embrouille. On a appelé la police et voilà.

– Méfiez-vous des femmes, observa Polly Patch, et le juge se réjouit qu'elle fut assez vieux-jeu pour se laisser aller à des remarques sexistes qui avaient autrefois animé les conversations et électrisé les relations entre les sexes.

– Évidemment, c'est le dossier de l'accusation, souligna Polly.

– Je suppose, répondit le juge. Mais la défense va avoir du mal à y percer des brèches.

– J'espère qu'il ne s'en sortira pas, dit Polly. Il m'a l'air d'un type déplaisant et dangereux.

Le juge scruta la grotte obscure de sa bouche. Elle parlait d'une voix pâteuse. Son épouse lui avait assuré qu'une fois ses gencives cicatrisées, Polly se ferait poser de fausses dents, du moins de façon provisoire, en attendant l'opération de chirurgie esthétique qui lui raboterait sept bons centimètres de mâchoire. Il mourait d'envie d'en parler.

– Ça fait mal? finit-il par demander.

– Bien sûr que ça fait mal, répondit-elle. Il faut que ça fasse mal. Tout ce qui vaut la peine a son prix. Par conséquent, si l'on est prêt à payer ce prix on peut arriver à tout ou presque. Ici, je paie avec ma souffrance physique. La petite sirène d'Hans Andersen voulait des jambes plutôt qu'une queue de poisson pour pouvoir être aimée comme il faut par son prince. On lui donna des jambes et donc l'espace où elles se rejoignent en haut; ensuite il lui semblait marcher sur des poignards à chaque pas. Et alors, que croyait-elle? Il fallait bien payer. Et, comme elle, je m'en réjouis. Je ne me plains pas.

– L'a-t-il aimée en retour? s'enquit le juge.

– Un certain temps, répondit Polly Patch. La lueur du feu jeta des étincelles rousses dans ses cheveux noirs. Le juge lui prit la main. On aurait pu croire qu'elle était chaude, cette main, mais elle était glacée. Polly remit la conversation sur l'expert-comptable.

– Ceux à qui l'on fait le plus confiance, déclara Polly Patch, pèchent le plus s'ils trahissent cette confiance.

– Mais leurs tentations sont plus grandes, souligna le juge. La justice doit toujours se nuancer de pitié, et de compréhension.

– Quelle pitié a-t-il eu envers ses clients? demanda Polly; ses doigts bougeaient avec une étonnante légèreté à l'intérieur de la main fermée du juge. Et c'étaient des écrivains, des artistes, des gens désarmés dans ce monde cruel.

Le juge, qui voyait si souvent passer devant lui des écrivains dans le rôle de plagiaires, pamphlétaires ou transgresseurs de la loi sur le copyright, n'était pas convaincu qu'ils méritent tant de pitié.

– À combien d'années allez-vous le condamner? demanda-t-elle.

Ils étaient assis plus près l'un de l'autre maintenant, la cuisse maigre et vêtue de flanelle grise du juge courait le long de la cuisse ferme et large de Polly. D'une minute à l'autre, Lady Bissop sortie de son bain apparaîtrait.

– Oh, un an et quelque, répondit-il.

– Un an et quelque! Mais vous avez donné trois ans à cette pauvre folle qui était mourante! Et il mérite tellement plus. Un homme occupant un poste de confiance qui, de sang froid, avec cynisme, escroque à dessein, fraude et crache son insolence à la face d'une société qui n'a fait que l'aider! Ça va barder! Vous ne passerez jamais Président de la Haute Cour de Justice si vous vous montrez aussi magnanime.

– Ah mais, insista-t-il, une seule année pour un bourgeois habitué au confort et au standing social, ça en vaut cinq pour n'importe qui d'autre. Il ne faut pas oublier l'humiliation qu'il subit, la destruction de sa famille, la perte de ses amis, sa carrière, sa retraite, tout.

– Les gens ordinaires, intervint-elle, sont pour la plupart impétueux, ils pèchent par accident; la bourgeoisie pèche toujours de propos délibéré. Les peines devraient être doublées et non diminuées de moitié.

Il posa son autre main sur la bouche de Polly pour lui intimer le silence, ce qui le contraignit à quitter son fauteuil et à se tasser sur elle. Le danger, le risque d'être englouti, semblaient écartés une fois la bouche de Polly fermée.

Elle se libéra d'une secousse et se planta le dos au feu devant les flammes bondissantes. Soudain les flammes grandirent et les craquements s'intensifièrent derrière elle.

– Vous devez m'écouter, déclara-t-elle. Je suis la voix du peuple, du moins vous ne connaîtrez jamais rien de plus proche.

– J'ai compris, assura-t-il.

Et en effet elle se dressait là, en contre-jour, telle la statue de la Liberté dans le port de New York, ou la représentation de la Justice dans les tribunaux de Londres – la loi, en chair et en os. Il lui prêta attention, ainsi qu'à ses arguments, ce qui revenait peut-être au même.

Lady Bissop entra, enveloppée dans le peignoir en éponge bleu marine qu'il détestait.

– Maureen, lança le juge, va te coucher!

Lady Bissop demanda timidement si elle pouvait voir le juge seul à seule. Polly Patch quitta obligeamment la pièce.

– Je t'en prie prends garde à ce que tu fais, supplia Lady Bissop. Polly risquerait de s'en aller et moi, que deviendrais-je? Je ne peux plus m'en passer.

– Ma chère, répondit le juge, je te prie de me laisser meilleur juge de ce qui te convient le mieux.

Et Lady Bissop, rassurée, partit se coucher. Le juge monta avec Polly dans la chambre d'amis où il resta deux heures. C'était un homme consciencieux qui ne consacrerait pas toute sa nuit à la gaudriole, il avait besoin d'être frais et dispos le matin. Polly comprit, elle comprenait tant de choses, et n'essaya pas de le retenir.

Le lendemain matin Polly était comme d'habitude à la table du petit déjeuner, occupée à ses tâches, essuyer les mentons, trouver les lacets de chaussures – positive et gaie. Lady Bissop, libérée des attentions conjugales de son mari, avait profité d'une bonne nuit de sommeil, ses diverses meurtrissures et écorchures avaient eu une chance de cicatriser et elle voyait sans mal les avantages de ce nouvel arrangement. Elle se rendit même en ville chez le coiffeur, tant son moral et son humeur étaient soudain remontés au beau fixe.

Le juge, trouvant en Polly une partenaire sexuelle de meilleure volonté que son épouse, ne conçut plus de culpabilité; le monde qui l'entourait lui parut tout à fait acceptable. Il était presque heureux. Il accorda plus de liberté à ses enfants. Ils eurent le droit de jouer dans le jardin, maintenant qu'avait diminué sa crainte qu'ils cassent une plante en jouant au ballon. Il regarda sa femme retomber en enfance sans même s'en affliger. Il décida d'étaler les séances de condamnations de façon plus régulière dans le mois, et si cela créa un peu de confusion, son équipe s'adapta rapidement au nouveau régime. La nuit, le juge passait des heures très agréables mais fort laborieuses avec Polly; il lui attachait pieds et poings au lit et la battait avec une vieille tapette en bambou.

– Je vous fais mal? demandait-il.

– Évidemment, répondait-elle poliment.

– Je ne suis pas un sadique, s'excusa-t-il un soir. Ce n'est que l'effet de la profession que j'exerce.

– Je comprends parfaitement, dit-elle. Ce que l'on attend de vous est contre nature et c'est là votre réaction.

Il l'aimait presque d'amour. Il la trouvait d'une sagesse infinie.

Lady Bissop décida que le violet était peut-être une couleur trop violente pour des tapis et porta son choix sur un ton de rouge fauve, à quatre-vingts pour cent laine vierge. Pendant un moment la maisonnée ressembla beaucoup à n'importe quelle autre, si l'on exceptait ce qui se passait la nuit dans la chambre d'amis. Lady Bissop commença même à recevoir un peu, à mesure que diminuaient les soupçons de son mari à l'égard de ses amis et qu'il cessait de croire soit qu'ils se moquaient de lui, soit qu'ils notaient de tête le plan de la maison pour mieux la cambrioler.

La question de la mise en liberté sous caution de l'expert-comptable se posa. Polly Patch s'y opposa.

– Mais ça fait une année entière qu'il attend en prison, protesta le juge. Et sans être jugé!

– Mais nous savons tous qu'il est coupable, souligna Polly. Et de fautes bien pires que le détournement de fonds. Gardez votre pitié pour ceux qui la méritent. Des bons pères de famille, des travailleurs, ceux qui agissent sur un coup de tête, ceux qui ne risquent pas de revenir sur leur parole – en voilà qui méritent la liberté sous caution. Mais cet homme va-t-il honorer son engagement?

– C'est sa maîtresse qui verse l'argent. Cette femme doit dépenser une fortune pour lui. S'il peut provoquer chez elle ce genre de réaction, il ne peut être foncièrement mauvais.

– Au contraire, corrigea Polly. Elle l'aimait et il l'a trahie. Il va recommencer. Il vivait avec elle mais il couchait avec d'autres femmes. Il s'apprêtait à l'abandonner. Pourquoi lui serait-il fidèle maintenant? Non! Laissez son argent à cette pauvre femme. Pas de mise en liberté! Il va prendre la poudre d'escampette, un point c'est tout.

Le juge refusa la requête. Bobbo retourna en prison attendre le procès.

Le dentiste posa à Polly Patch une rangée de dents provisoires scintillantes, elle parlait maintenant d'une voix moins pâteuse et avec plus de clarté. Le juge le regrettait. Il avait aimé le grondement de tonnerre des sons imprécis qui pendant un moment sortaient du labyrinthe obscur de sa gorge. Il avait adoré fourrer sa langue dans le gouffre à vif où autrefois ses dents avaient été plantées et la râper sur les petites pointes limées, seuls vestiges de ses molaires. Néanmoins, elle avait une allure un peu plus ordinaire désormais, elle s'harmonisait mieux avec le reste de la maisonnée.

Parfois il se demandait d'où venait Polly Patch et où elle allait, mais pas souvent. Il était habitué à voir les gens surgir du néant devant lui, dans la lumière éclatante du tribunal, avant de disparaître à nouveau dans la grisaille. Peut-être en raison de sa profession plutôt qu'en dépit d'elle, il posait peu de questions. Il n'était pas curieux. C'était inutile. Un juge attend que les faits se présentent d'eux-mêmes, il n'a pas besoin d'aller les chercher. D'autres s'en chargent pour lui.

Polly Patch lui déclara une nuit que l'énergie sexuelle éclairait l'univers; il fallait qu'elle brille comme une torche dans les coins les plus sombres. Alors, finies la honte, la culpabilité, la guerre. Elle déclara que la souffrance et le plaisir ne faisaient qu'un, qu'exaucer ses désirs était l'essence de la loi.

Prononcées, comme le furent ces paroles, sur un ton dur, par une bouche béante (ses dents étaient retournées chez le dentiste pour être remodelées), elles avaient la puissance de l'oracle. Il pensa, à la réflexion, que c'était l'oracle d'Hadès et non de l'Olympe, de l'enfer et non du ciel. Là-haut sur l'Olympe où il avait été élevé, où la montagne de la raison perce le ciel de l'intellect, on ne parlait que des souffrances de l'âme si les sens étaient satisfaits. Polly Patch ne le tolérait pas. Elle prétendait, comme l'aurait soutenu le diable, que les sens et l'âme ne faisaient qu'un, que satisfaire les uns c'était satisfaire l'autre.

Polly Patch commença un régime à 800 calories par jour mais ne perdit pas de poids. Personne n'y comprenait rien. Lady Bissop, au même régime, perdit six kilos en un mois et devint si décharnée que le juge sentit renaître pour elle son intérêt sexuel – plus elle semblait malheureuse, hélas, plus elle lui plaisait –, mais elle poussa de tels hurlements qu'il se sentit obligé de revenir à la chambre d'amis et à Polly, plus stoïque et mieux rembourrée.

L'affaire de l'expert-comptable passa en audience préliminaire. La colère se déchaîna car l'accusé se montra peu coopératif, il refusa d'avouer à la police où se trouvait sa complice et empêcha ainsi de récupérer l'argent volé. Elle avait travaillé un moment à son bureau, avait été renvoyée – sans doute pour berner le reste du personnel –, avait quitté son mari, pris l'avion pour Lucerne, et là, on perdait sa piste.

– De quoi avait-il l'air au banc des accusés? s'informa Polly Patch.

– Ordinaire, répondit le Juge Bissop. Il avait la peau grise d'un homme qui est emprisonné depuis longtemps et le teint brouillé qui va avec la nourriture de la prison.

– J'imagine qu'il était habitué au caviar et au saumon fumé, lança Polly. Le pauvre!

– Gardez votre pitié, recommanda le juge. Il est cruel et sans remords. Il se cramponne à son histoire. C'est un entêté.

– À combien de temps allez-vous le condamner?

– L'affaire n'est même pas passée en jugement, protesta le juge. Nous ignorons ce que décidera le jury. Mais je suppose cinq ans.

– Pas assez, dit Polly Patch.

– Pas assez pour quoi?

Il la taquinait. Il brandissait la tapette au-dessus de ses fesses. Quand il l'abattrait et la relèverait, une belle zébrure se dessinerait sur sa chair.

– Pas assez pour mes plans, répondit-elle.

– Sept ans! s'écria-t-il.

– Ça ira! dit-elle.

Il abattit la tapette avec tant de force que pour une fois elle parut la sentir et hurla si fort qu'on l'entendit à travers toute la maison. Les petits garçons s'agitèrent dans leur sommeil et Lady Bissop poussa un gémissement endormi en rêvant qu'elle corsait de poivre une soupe de champignons en boîte. Dehors un hibou hulula dans l'obscurité.

– Le hurlement d'un diable s'échappant de l'enfer, s'exclama-t-il en suçant l'essence qui exsudait de la chair meurtrie.

Parlait-il de lui ou d'elle, allez savoir? Il commença à entrevoir qu'il appartenait peut-être à Hadès, où l'âme et le corps ne font qu'un, et pas à l'Olympe après tout. Les criminels doivent prendre des risques, les juges aussi. La souffrance de l'un faisait le plaisir de l'autre. Chaque nuit il corroborait le message, meurtrissant la différence, effaçant les séparations entre le sacré et l'impie, le blanc et le noir, marquant et broyant la chair pour la rendre esprit.

– Bien sûr, déclara-t-il à Polly Patch un soir à propos de l'expert-comptable qui semblait désormais l'obséder, on peut le convaincre de plaider la folie. Dans ce cas il purgerait une peine de durée indéterminée dans un bon institut psychiatrique et n'en sortirait plus jamais. C'est peut-être la meilleure chose à faire avec un homme qui n'est pas simplement un escroc mais aussi, selon toute probabilité, un incendiaire et un meurtrier.

– Pour moi c'est une faiblesse du système judiciaire, déclara Polly Patch, d'accepter que l'on plaide la folie. Les juges doivent affronter la malignité humaine et ne pas esquiver en invoquant la maladie mentale. C'est le crime qu'il faut juger, pas le mobile du crime, ni la raison. La fonction du juge est de punir, pas de guérir, ni d'amender ou pardonner.

Il y avait bien longtemps que le Juge Bissop n'avait entendu de telles opinions énoncées avec cette vigueur-là. Il prit ces paroles pour un changement symptômatique de l'opinion publique. L'aiguille du gouvernement avait été poussée largement à gauche pendant de nombreuses années, et le public avait réclamé à cor et à cri des peines plus sévères pour les crimes contre la personne plutôt que contre la propriété. Maintenant l'aiguille tremblait, frémissait, se préparait à un mouvement violent, une brusque poussée vers la droite; la propriété et l'argent redeviendraient sacro-saints, la souffrance et les désagréments humains une chose passagère. Il s'en réjouissait.

Quand enfin l'expert-comptable passa en jugement, il parut correct au Juge Bissop de prononcer contre lui une peine sévère. Les deux enfants de l'homme parurent au tribunal pour le procès, mâchant du chewing-gum, apathiques, et paraissant se moquer du sort qui serait réservé à leur père. Ils étaient habillés sans soin et lui rappelèrent quelqu'un, mais il ne réussit pas à savoir qui. Il songea que pour l'occasion ils auraient pu être mieux coiffés, lavés, habillés, et que leur attitude et leur tenue revenaient à une insolence à l'égard du tribunal.

Vu la gravité des chefs d'accusation – escroquerie de sang-froid, préméditée et délibérée, par une personne occupant un poste de confiance – il ne pouvait pas, comme il le fit remarquer à la défense dans son résumé, songer un seul instant à une condamnation avec sursis, même si l'accusé avait passé de nombreux mois en détention préventive. Les délais imposés à l'audience l'avaient été par la faute de l'accusé, puisqu'il niait la responsabilité morale de ses crimes, n'avait pas tenté de restituer l'argent volé et refusait même de fournir à la police les renseignements qu'elle demandait sur sa complice. Que la défense ne le prenne pas pour un juge magnanime – il était juste. L'accusé avait avec cynisme abandonné une épouse et pris deux maîtresses ou plus, causant ainsi du chagrin à nombre de personnes, et, quoique la vie privée d'un citoyen ne regarde que lui et pas la Cour – ce dont les jurés devraient se souvenir au moment de prononcer leur verdict –, l'irresponsabilité dans un domaine contaminait tous les autres. « De plus, souligna-t-il, la propriété est le pivot sur lequel s'équilibre toute la structure morale de la société. » Il regarda si les journalistes avaient noté cette dernière phrase, ils n'y avaient pas manqué, il fut ravi.

Les jurés sortirent à la queue leu leu et reparurent presque aussitôt à la queue leu leu.

– Coupable, lança le président.

– Sept ans, lança le juge.

Peu après le procès, Polly Patch quitta le service de Lady

Bissop. Le juge rentra chez lui après avoir siégé dans une commission d'enquête pour la réforme des lois sur l'avortement – il estima que l'avortement devrait rester une affaire concernant l'État plutôt que les parents, et être en général refusé, car les bébés blancs de la bourgeoisie primaient, or c'étaient eux qui disparaissaient le plus souvent sur le billard du chirurgien – et trouva sa femme en larmes.

– Elle est partie, sanglota-t-elle. Polly Patch est partie! Une voiture avec chauffeur est venue et l'a emmenée. Elle n'a même pas voulu toucher son salaire.

– Elle n'y avait pas droit, répondit le juge machinalement, si elle est partie sans préavis. Mais il pleura lui aussi, ainsi que les enfants, tous se cramponnèrent les uns aux autres en proie à leur chagrin et trouvèrent une intimité qu'ils ne connaissaient pas, mais dont ils se souviendraient jusqu'à la fin de leurs jours.

– C'était le ciel, je crois, qui l'avait envoyée, hoqueta Maureen Bissop.

– Ou l'enfer, corrigea le juge. Parfois je pense que l'enfer est plus clément que le ciel.

Il avait commencé à douter de la bonté fondamentale de Dieu.

Le juge put au bout d'un certain temps passer du droit pénal aux litiges fiscaux, sa vie sexuelle avec sa femme en devint plus paisible et même ordinaire. Il cessa de remplir de sable et autres ingrédients la bouche de ses enfants quand ils l'agaçaient, avec le sentiment que Polly Patch n'aurait pas apprécié et que peut-être, dans la grande balance de la vie, le choc et l'inconfort qu'ils ressentaient pesaient plus lourd que son bien-être. Lady Bissop et lui eurent même une petite fille qu'il tint à appeler Polly – mais qui par bonheur était aussi jolie que son homonyme était laide –, une joyeuse petite poupée qui égaya énormément la maisonnée. Ce fut en son honneur que Lady Bissop abandonna les couleurs audacieuses de ses débuts et prit goût aux motifs floraux petits et tendres qui avaient un charme fou.

24

Mary Fisher habite La Haute Tour et réfléchit à la nature de l'absence et de la nostalgie. Elle continue à se raconter des mensonges, c'est sa nature. Elle croit que la pluie tombe parce qu'elle, Mary Fisher, est triste, que les tempêtes font rage parce qu'elle est consumée par des désirs inassouvis, et que les récoltes dépérissent parce qu'elle est solitaire. Il n'y a pas eu pire été depuis cinquante ans, elle n'en est pas le moins du monde étonnée.

Moi je pense que Mary Fisher ne souffre pas comme les autres gens souffrent. Elle est irritable, voilà. Ça l'ennuie d'être encombrée de ce qu'elle ne veut pas – sa mère et les deux enfants – et privée de ce qu'elle veut – Bobbo, du sexe, de l'adoration et de la distraction.

Mary Fisher habite La Haute Tour et trouve la nourriture sans goût, le soleil sans chaleur, et elle s'étonne.

Mary Fisher devrait pourtant s'y connaître. Elle a été élevée dans le ruisseau par sa prostituée à temps partiel de mère, mais elle a effacé tout ça de sa mémoire. Elle continue à prétendre que le monde n'est pas tel qu'il est et perpétue l'erreur. Elle n'apprendra pas; elle ne se souviendra pas. Elle a commencé un autre roman, *Les portes du désir.*

Bobbo refait sa vie à la bibliothèque de la prison et souffre de dépression, de la perte de liberté et de l'absence de Mary Fisher, ou bien de cette partie d'elle dont il se souvient le mieux, là où les jambes se séparent du bassin. Parfois, j'imagine, il essaie de penser à son visage. Mais les traits de Mary Fisher sont si réguliers et si parfaits qu'on s'en souvient difficilement. Elle est la femme parce qu'elle n'est aucune femme.

Voilà, le temps passe, petit à petit tout va vers le but que j'ai fixé. Je ne me fie pas au destin et je ne crois pas en Dieu. Je serai ce que je veux, pas ce qu'Il a décrété. Je me modèlerai une nouvelle image avec la glaise de ma création. Je défierai mon Créateur et me referai à neuf.

Je me libère des chaînes qui m'ont asservie, de l'habitude, des usages et des aspirations sexuelles : foyer, famille, amis – tous les objets d'une affection naturelle. Sans cela, impossible d'être libre, impossible de démarrer.

L'extraction d'un si grand nombre de mes dents constitua la première étape vers le Nouveau Moi. Le dentiste, en vérité, ne les arracha pas toutes, il lima une dent sur deux jusqu'à la gencive. La douleur du limage fut intense, pire que toutes celles infligées par le juge. Le grincement et les élancements quotidiens de ce qui restait n'était pas agréable – vivre avec le juge non plus, d'ailleurs.

*Il faut souffrir**, comme je le lui fis remarquer, pour obtenir ce que l'on veut. Et plus on en veut, plus on souffre. Si l'on veut tout, il faut tout endurer. Les gens dans un état lamentable sont, bien sûr, ceux qui souffrent au hasard et n'en retirent rien. Lady Bissop en est un bon exemple.

Je voulais que Bobbo soit condamné à une longue peine

* En français dans le texte.

parce que ma peine était longue. Je voulais qu'on le mette de côté le temps que je sois prête pour lui.

Je me demande parfois comment je peux être aussi indifférente à l'inconfort moral – je ne dirai pas aux souffrances, Bobbo est logé, nourri et n'a pas de responsabilités – d'un homme qui a engendré mes enfants et passé autant de temps dans mon corps. Le fait même que je me le demande me tracasse. Je ne suis pas diablesse à cent pour cent. Une diablesse ne se souvient pas du passé, elle renaît chaque matin. Elle s'occupe des sentiments d'aujourd'hui, pas de ceux d'hier, et elle est libre. Il subsiste une parcelle de moi, toujours femme.

Une diablesse est suprêmement heureuse, elle est vaccinée contre les souffrances de la mémoire. Au moment de sa transfiguration de femme à non-femme, elle accomplit l'acte toute seule. Elle plonge la longue aiguille acérée du souvenir dans la chair vive, jusqu'au cœur, et le brûle. La douleur est sauvage et effroyable un certain temps, puis elle disparaît.

Je chante un hymne à la mort de l'amour et à la fin des souffrances.

Regardez comme Mary Fisher gigote et se tortille sur l'aiguille du bonheur perdu. Comme elle souffre! Et puis, elle n'entend que trop bien les racontars des gens du village. Elle n'a personne désormais pour combler ses oreilles de mots tendres, de paroles enjôleuses, des charmantes flatteries de la chair. Elle en entend plus, en vérité, qu'il n'y a à entendre.

En bas, au village, ou du moins Mary Fisher le croit-elle, on raconte que la propriétaire de La Haute Tour s'entête à ne pas vouloir d'enfant – que c'est une égoïste, pas une vraie femme. On raconte qu'elle brutalise sa pauvre mère et la séquestre dans une pièce. On raconte qu'elle traite avec cruauté les enfants de son amant; une belle-mère très perverse. On raconte que c'est une briseuse de ménages. Certains ajoutent qu'elle a poussé l'épouse de son amant au suicide; la pauvre femme n'a-t-elle pas disparu? On raconte que par cupidité et méchanceté Mary Fisher a poussé son amant au crime, et puis, soit brûlante de désir pour son valet de chambre, soit furieuse que son amant, écœuré par son caractère, ait refusé de l'épouser, elle l'a trahi et n'a pas réussi à le sortir de prison.

On raconte que ce sont des gens comme Mary Fisher qui s'installent dans une communauté, font monter les prix immobiliers, tant et si bien que ceux du pays n'ont plus les moyens de vivre dans leur village.

La culpabilité, en vérité, parle à l'oreille de Mary Fisher. Elle confond cette voix avec celles des villageois mais elle se trompe. Elle s'entend se tenir de longs discours.

Parfois Andy et Nicola disent des choses qui prouvent qu'eux aussi pensent du mal d'elle.

«Si vous n'avez rien à dire d'agréable, lance-t-elle, alors ne dites rien.» Mais Andy et Nicola ne l'écoutent pas. Ils prennent toujours le contrepied de ce que veut Mary Fisher. Ils ne l'aiment pas. Elle ne les aime pas. Mais ils ont perdu père et mère et n'ont pas d'autre endroit où aller, ils sont la chair et le sang de Bobbo, et Mary Fisher aime Bobbo – ou croit l'aimer – avec tant d'énergie qu'il importe peu qu'il soit là ou non en chair et en os.

Oui, parfois Mary Fisher le pense. Il n'y a que le soir lorsqu'elle s'endort, ou le matin au réveil quand les impatiences de la chair inassouvie – pas tout à fait une souffrance, pas tout à fait insupportable, simplement incurable – la tourmentent, qu'elle pense, oui, que la seule chose qui compte c'est la présence de Bobbo à ses côtés, ici et maintenant. Peut-être est-ce du désir qu'elle ressent, pas de l'amour.

Garcia triomphe. Il aime d'amour ou de désir, mais pas Mary Fisher. L'objet de son amour ou de son désir, c'est une des jeunes villageoises qu'il a mise enceinte et ramenée vivre à La Haute Tour. Quelqu'un, sans doute l'amoureuse de Garcia, a volé les bijoux de Mary Fisher. Tous ses ravissants ornements, souvenirs de délicates passions, reliques d'actes raffinés de discrimination sexuelle avant-Bobbo, ont disparu. La fille, Joan, arpente La Haute Tour d'une démarche insolente avec son ventre qui enfle. Elle ricane dans les coins avec Nicola, donne à Mary Fisher des sentiments d'infériorité, elle qui est à peine une femme car elle n'a jamais eu de bébé, et désormais elle s'en rend compte, n'en aura jamais.

Autrefois Mary Fisher pensait que n'avoir pas d'enfant était une bénédiction qui lui épargnait la déchéance, la banalité, l'inutilité de la maternité. C'est fini. Il lui faut quelque chose, n'importe quoi.

Sa chair et son âme appellent Bobbo à grands cris. Elle peut lui écrire une fois par mois, lui de même. Elle lui parle de l'amour avec tout le savoir-faire à sa disposition, il répond d'étranges lettres chaotiques sur le temps qu'il fait, la nourriture de la prison, et s'inquiète du chien Lasso, de la chatte Clémence, du bien-être des enfants.

Mary Fisher essaie de confier Nicola et Andy aux parents de Bobbo, mais Angus et Brenda ne peuvent pas et ne veulent pas s'en occuper. Ils habitent à l'hôtel, expliquent-ils, pas dans une maison. Ils ne peuvent introduire des animaux ou des enfants dans leur vie. Une fois a suffi avec Bobbo et voyez comme il a mal tourné! Et puis ils mettent la chute de

Bobbo sur le dos de Mary Fisher et n'ont aucune envie de lui rendre service.

Cependant ils viennent en visite de temps en temps, Mary Fisher est ravie de leur compagnie. Elle est tombée bien bas!

«Quel endroit merveilleux pour des enfants!» s'exclame Brenda. Elle est vêtue en mauves et verts; elle a abandonné la soie pour la mousseline, comme pour souligner son manque de réalisme, sa nature futile. «Tout cet espace! C'est un crime de ne pas l'occuper! Et Nicola et Andy sont si heureux ici. Ils ont très bonne mine, quand on pense.»

Quand on pense, veut-elle dire, à tous leurs malheurs qu'ils doivent à Mary Fisher. Elle, Brenda, apporte aux enfants du chewing-gum qui se gonfle et éclate tout rose sur leur nez, leurs joues et dans leurs cheveux, et qui quand il a été trop mâché, finit collé sous les rebords des tables et des lits.

«Les pauvres petits», pleurniche Brenda, en levant les yeux sur ses deux malabars de petits-enfants. Ils acceptent le chewing-gum un peu en reconnaissance de sa bonté, un peu pour embêter Mary Fisher, un peu parce que, bien que presque adultes, ils meurent d'envie de rester enfants. Ils ont un souvenir du paradis, d'un âge d'or, au 19 Nightbird Drive. Ça les rend boudeurs et moroses. Ni l'un ni l'autre ne travaillent bien à l'école.

Nicola fait éclater une bulle de chewing-gum à l'oreille d'un doberman, la grosse bête lui mord le nez, il faut lui faire seize points de suture pour rapprocher les chairs déchirées et souder l'os râpé. Nicola pleure sa mère perdue pour la première et la dernière fois.

Mary Fisher voit parfois Andy la regarder avec des yeux lubriques et voraces. Il est beaucoup trop jeune pour regarder qui que ce soit de cette façon, surtout pas la femme qu'aime son père, mais que peut-elle y faire? Elle les enverrait bien tous les deux en pension, mais elle sait qu'ils reviendraient, comme sa mère est revenue de la maison de retraite. Ils jurent qu'ils le feront et elle les croit. Bobbo refuse qu'ils viennent le voir en prison.

– Mieux vaut qu'ils m'oublient, dit-il.

Mary Fisher craint qu'il ne veuille dire mieux vaut que je les oublie.

La vieille Mme Fisher est clouée au lit, incontinente et sous doses massives de Valium. De temps en temps elle démarre et lance :

– Où suis-je venue me fourrer? Dans un nid de brigands! C'est elle qui devrait être en prison!

Mary Fisher est si déprimée qu'elle pleure et se sent seule, toute seule au monde.

– Et nous alors? demandent Andy et Nicola, en suivant Mary Fisher des yeux partout où elle va.

Parfois elle a l'impression de vivre dans un film d'horreur.

Mary Fisher supplie Angus et Brenda d'emmener Lasso, au moins, pour l'amour de Bobbo, mais en vain.

– Il faut le faire piquer, c'est la meilleure solution, suggère Angus. Un chien sans son maître ne vaut rien, ils étaient comme ça.

Il se sert de ses doigts pour montrer les liens entrecroisés de l'homme et du chien.

Mais Mary Fisher ne peut pas faire piquer le chien. Autrefois oui, maintenant non. Elle en sait trop, elle sait ce que ressentirait Lasso. Moi, je pourrais assassiner une douzaine de chiens impunément s'il y allait de mon intérêt. J'ai commencé avec le cochon d'Inde, voyez maintenant! Je suis une diablesse. J'apporte les souffrances et la connaissance de soi (les deux vont de pair) pour les autres et le salut pour moi. Chacune pour soi, je le crie haut et fort. Je veux simplement n'en faire qu'à ma tête, et, par Satan, j'y parviendrai.

Les diablesses ont une multitude de noms et une capacité infinie à s'immiscer dans la vie des autres.

25

Ruth, une fois atteint son but chez le juge et avec encore un mois de chirurgie dentaire à suivre, chercha à se loger à Bradwell Park, un quartier où elle sentait qu'elle pourrait sans risque se fondre dans l'anonymat. Une foule de gens de taille, forme et allure bizarres vivaient là, et quasiment personne ne prenait la peine de se retourner sur elle. Bradwell Park se trouvait au cœur des banlieues ouest, c'était un secteur de la ville, vaste, anonyme, décrépit. Les pauvres y vivaient.

Ruth avait 2 563 072,45 dollars en dépôt dans une banque suisse mais préférait pour le moment vivre simplement et sans dépenser. Les riches, on les remarque, les pauvres sont anonymes, un manteau d'invisibilité gris foncé enveloppe leur vie. Et puis Ruth ne voulait pas attirer sur elle l'attention de la police ou du fisc avant qu'il ne soit temps.

À Bradwell Park, en plus, elle ne risquait pas de rencontrer quelqu'un d'Eden Grove qui s'écrierait : «Oh, mais c'est la femme de Bobbo, non? Ça alors, quelle surprise!» Bradwell Park et Eden Grove, où Ruth avait vécu dans une autre vie, étaient toutes deux classées dans la catégorie banlieues mais ne se ressemblaient pas du tout. À Bradwell Park les hommes et les femmes vivaient pêle-mêle, à Eden Grove ils s'enfermaient dans des carrés clôturés bien propres. Il y avait plus de femmes que d'hommes à Bradwell Park, moins de garages pour moins d'automobiles et une seule piscine municipale si javellisée qu'elle pouvait causer une cécité temporaire. À Bradwell Park vivaient des gens gagnant moins qu'ils ne l'auraient voulu et des femmes coincées par le besoin plutôt que par la complexité de leurs désirs; mais au moins avaient-elles la consolation de savoir que leur insatisfaction n'était pas simplement de l'agitation et de l'ingratitude, qu'elle se justifiait.

Ruth resta plantée devant le bureau de la Sécurité sociale un bon moment, le temps qu'en sorte une personne qui lui convienne : une jeune femme qui n'avait pas encore vingt ans, enceinte, avec deux gamins pendus à ses basques et poussant son marché dans la poussette. Elle était jolie, avec un teint de papier mâché, et distraite. Elle attendit à l'arrêt du bus; quand le bus arriva, Ruth l'aida à monter avec les enfants, la poussette et le marché – tandis que le chauffeur restait là à les regarder – puis elle s'assit à côté d'elle et engagea la conversation.

La fille s'appelait Vickie. Martha avait trois ans et Paul deux ans. Non, elle n'avait pas de mari, et n'en avait jamais eu.

– Je cherche un logement, signala Ruth. Vous en connaissez de libres?

Vickie n'en connaissait pas.

– Il n'y aurait pas un petit coin chez vous, non? demanda Ruth. En échange de baby-sitting et d'un peu de ménage? Je pourrais aussi payer un petit quelque chose côté loyer. Pas la peine d'avertir la Sécurité sociale!

À l'idée de toucher de l'argent en plus et de bénéficier d'un peu d'aide, la crainte tout à fait légitime de Vickie que la maison où elle habitait ne pouvait pas convenir s'envola, et

Ruth vint s'installer dans la chambre du fond où elle dormit sur un lit de camp qui s'effondra la première fois qu'elle s'allongea dessus. D'ordinaire la pièce sombre, humide et froide restait inutilisée, mais Ruth l'égaya avec des affiches et tendit de la toile de jute sur les murs pour retenir le plâtre qui s'effritait.

– Quelle chance tu as d'être grande, remarqua Vickie. Tu n'as pas besoin d'escabeau. C'est pour ça que je ne m'y suis jamais mise, je n'en ai pas. Il y a ça et puis le prix du jute. D'abord je ne vois pas pourquoi ça serait à moi de le poser. C'est le boulot du propriétaire.

Vickie avait quitté l'école à seize ans, découvert qu'on ne trouvait pas de travail et s'était inscrite au chômage. L'oisiveté était à peine moins ennuyeuse que n'importe quel boulot qu'elle aurait pu obtenir mais peut-être plus débilitante encore. Vickie, ainsi qu'elle le raconta à Ruth, avait souffert d'asthme étant enfant et avait les poumons fragiles, les emplois proposés à Bradwell Park – travailler dans les grands centres de laverie et de nettoyage à sec qui desservaient de vastes zones de la ville – n'étaient donc pas pour elle. Une exposition constante à la vapeur et aux émanations des produits de nettoyage à sec détruisent jusqu'aux poumons les plus jeunes et les plus sains. Vickie avait donc de la chance que son incapacité figure sur son dossier, ainsi ses allocations n'étaient pas diminuées progressivement pour l'inciter à accepter le travail disponible sur place, aussi pénible soit-il. À ne pas faire la difficile.

– *Nil bastardi carborundum,* récita Vickie avec un rire amer. Ou, ne laissez pas les salopards vous bouffer. L'expression lui venait d'un étudiant, un amant de passage.

À l'âge de dix-huit ans Vickie s'était bien apitoyée sur son sort et avait pensé que pour donner un but et un sens à sa vie elle devrait avoir des bébés; elle s'était alors attaqué à la réalisation de cette ambition. Il est toujours important d'avoir quelqu'un à aimer et quelque chose à faire. Avec un bébé, la Sécurité sociale paya son loyer, l'Aide sociale lui donna des bons d'électricité et d'alimentation, et en se défendant bien *War on Want* («guerre à l'indigence») paierait sa note de gaz, la location de sa télé et l'entretien de sa machine à laver. Mais ce n'était pas une mince affaire de faire la tournée des services avec les deux bambins dans les jambes. L'un dans l'autre, elle avait de quoi leur donner le petit déjeuner mais pas le dîner, et ainsi de suite. En échange, l'État exigeait une reconnaissance morale et non – comme n'importe quel mari de Bradwell Park – simplement charnelle. Le sexe à Bradwell Park était considéré comme un marchandage, rarement comme une source de plaisir mutuel ou de délassement de l'esprit. L'idée d'association entre mari et femme était en général odieuse aux deux sexes.

Vickie se trémoussait, protestait, injuriait et se moquait de l'État qui pourvoyait à son existence, tout à fait comme les épouses injurient et se moquent des maris qui pourvoient à leur existence, les choient et les aiment. Le deuxième bébé de Vickie, Paul, était né d'un père dont l'identité ne faisait pas de doute. Il resta six mois après la naissance, pour finalement sortir un soir chercher des cigarettes et ne plus jamais reparaître.

– Ne vous inquiétez pas, avait dit l'infirmière chef de la clinique à une Vickie en larmes. Il n'a pas été écrasé ni emporté par une soucoupe volante. Il se porte bien. Dans un mois ou deux, on découvrira qu'il vit juste au coin de la rue avec une autre. Ça arrive tout le temps par ici. C'est la rupture du tissu social, paraît-il.

– Mais il m'aimait. Il m'aurait prévenue, quand même!

– Je suppose qu'il n'a pas voulu vous chambouler. Et puis le petit Paul n'est pas un bébé si facile et la plupart des hommes n'aiment pas jouer les pères avec un enfant qui n'est pas d'eux. Comment va la petite Martha? Et cet impetigo, il a disparu?

– Il est revenu, avait gémi Vickie. C'est tout de sa faute à lui. La petite Martha l'adorait! Comment un homme peut-il traiter un enfant ainsi? Elle est toute bouleversée!

– Vickie, dit l'infirmière chef d'une voix triste, soit vous faites vos bébés dans le système prévu par la société pour la protection des femmes et des enfants, à savoir le mariage, soit vous vivez en dehors de ce système et vous en supportez les conséquences.

– *Nil bastardi carborundum,* marmonna Vickie.

Un autre homme s'installa bientôt à la place laissée par le père de Paul – la nature a horreur d'un lit vide – et resta trois mois, avant de passer à une femme moins encombrée d'enfants, laissant Vickie enceinte.

Et ce fut ainsi que Ruth la trouva.

Les livres de Mary Fisher se vendaient bien à Bradwell Park. Les femmes les achetaient et, de leur côté, les hommes achetaient des bandes dessinées du style *The Grinning Skull* et *Monster Man* ; tout le monde se sentait mieux pendant un moment. Les magnétoscopes ne manquaient pas et en famille on se passait des films de sexe et de violence pour se distraire, une chose inconcevable à Eden Grove.

– Pourquoi moi je ne trouve jamais le grand amour? se plaignit Vickie à Ruth, tandis que Ruth investissait la maison, balayait les pelures d'orange, jetait les vieux vêtements, lavait des rideaux qui n'avaient jamais été lavés, dénichait des couvre-lits et des couvertures de berceau qui n'avaient jamais servi, donnait la chasse à la graisse et au découragement, qui vont si souvent de pair.

– Parce que tu es toujours enceinte, répondit Ruth à Vickie.

Mais voilà! Certaines femmes sont nées pour la grossesse malgré la pilule, le stérilet, le diaphragme ou le calendrier du bon Dieu. Et pourquoi un homme chercherait-il à contrarier une femme féconde quand la grossesse semble son désir le plus cher et que l'État la fait vivre? Quelqu'un à aimer, quelque chose à faire, on n'en demande pas plus.

Ruth et Vickie en riaient, assises devant le poêle à gaz les soirées d'hiver. Des couches mouillées pendaient judicieusement autour d'elles – il n'y avait pas d'argent pour un séchoir mais il y en aurait bientôt, grâce à la contribution de Ruth au loyer. Quelle vie! Vickie avait parfois vaguement espéré que Martha ou Paul ne porteraient plus de couches avant la naissance du nouveau bébé, mais ne tentait pas grand-chose pour que cet espoir se réalise. Voyons, quelle influence peut-on exercer sur des reins de bébés, des vessies de bambins? Ils évoluent à leur rythme et à la clinique on assurait que l'apprentissage de la propreté était inutile, et même traumatisant pour l'enfant. Et quel froid! Ruth devait parfois porter trois paires des chaussettes du père de Paul – il avait laissé tous ses vêtements pour essayer de ne pas peiner Vickie. On l'avait aperçu récemment poussant un landau et faisant ses courses un samedi après-midi.

L'infirmière chef expliqua la situation :

– Il y a des hommes, ma petite, qui aiment le processus de la grossesse, la naissance, les nouveau-nés et dont l'intérêt s'envole dès que les enfants grandissent. Certaines femmes aussi. Pourquoi ce genre de réaction serait-il la prérogative des femmes? On ne peut pas tout avoir!

Vickie avait vécu dans un état d'irritation et d'étonnement constant que les casseroles soient si minces, les lits si cassés, les dettes si angoissantes, et les enfants pas seulement sujets aux maux de gorge et aux engelures, mais si turbulents. Ce n'était pas du tout ce qu'elle avait voulu. Ce n'était pas la maternité dont elle avait rêvée. De nature vaillante, toutefois, elle poursuivit ses efforts. Ruth, en occupant la chambre du fond, payait le Nutella et la margarine à étaler sur les tartines des enfants, le lait condensé Nestlé pour le café, sans parler des vingt Marlboro par jour et des tickets d'autobus pour se rendre à la clinique et recevoir les conseils psychologiques et les informations sur les contraceptifs qui pourraient éviter la naissance d'un nouvel enfant. Mais si cet enfant, le quatrième, était un génie, l'enfant parfait dont Vickie serait la mère parfaite? (Les nausées du matin l'avaient déjà déçue pour le troisième.) Ruth y avait-elle songé, demanda Vickie, moitié riant moitié pleurant? La contraception n'était-elle pas aussi criminelle que l'avortement? Elle en avait vraiment le sentiment. Et sur quoi Vickie pouvait-elle se fonder, dans la vie, sinon les sentiments?

– Oui, j'y ai pensé, reconnut Ruth. Le risque de perdre un génie. Mais c'est un peu comme de gagner au loto, non? Il n'y a pas de grandes chances.

Il y avait, remarqua Ruth, à la Mission catholique située en face des bureaux de la Sécurité sociale et qui offrait un service de crèche gratuit et des rafraîchissements aux jeunes mères, un certain père Ferguson. Quand Vickie s'y arrêtait prendre une tasse de thé, bavarder et se poser un moment, c'était le père Ferguson qui bavardait. Vickie l'adorait. Le père Ferguson assurait que Vickie était très avisée, une fille de Dieu, et que la clinique qui ne cessait de recommander interruptions de grossesse et stérilisations se trompait gravement, était criminelle. Le bonheur et l'épanouissement des femmes résidait dans l'accroissement du flot des âmes vers Dieu. Un jour le père Ferguson passa rendre visite à Vickie, Ruth l'invita à entrer. Vickie était sortie.

Il jeta un coup d'œil à la pièce propre et bien rangée, quoique peu meublée et remarqua :

– Quelle différence! Je suppose que c'est vous?

– Oui, répondit Ruth.

– J'ai besoin d'une gouvernante, dit-il.

– Vickie aussi, observa Ruth.

– Vickie peut se débrouiller, assura-t-il. Elle n'a à s'occuper que des enfants. Moi je vous paierai.

Ruth répondit qu'elle y réfléchirait.

C'était un homme mince, souple et ascétique, un célibataire né. Il pataugeait dans un océan de chair féminine exubérante, de poitrines, de ventres, d'odeurs d'aisselles, et ne se retournait jamais, ne regardait jamais le rivage. Ses oreilles, délicatement accordées à la musique des cieux, étaient chaque jour agressées par le piaillement des mouettes, le rire et l'hystérie de la féminité, pourtant il ne se les bouchait jamais.

Ruth quitta la maison de Vickie un jeudi matin, alors que le givre recouvrait le sol d'une couche épaisse, pour se rendre à son dernier rendez-vous avec M. Firth, son dentiste. Elle se présentait chez lui sous le nom de Georgiana Tilling. Le trajet durait deux heures et demie. L'une des caractéristiques des banlieues ouest, c'est le manque de transports publics et le prix élevé du peu qui existe. Ruth devait grimper huit cents mètres jusqu'à l'arrêt d'autobus le plus proche, parcourir deux kilomètres et demi en bus jusqu'à la gare la plus proche, et une fois dans le train, changer deux fois avant d'atteindre sa destination, en plein centre ville, où étaient installés les médecins et les dentistes les plus riches et les plus connus.

Des petits poissons tropicaux nageaient dans le cabinet de consultation de M. Firth, et des effets lumineux jouaient sur le mur devant les yeux de sa patiente. Il employait l'acupuncture et l'hypnotisme pour soulager les douleurs dentaires. M. Firth avait les joues creuses, était affable et à l'apogée de son art.

Ruth, allongée sur son nouveau fauteuil, trouva qu'il n'était pas tout à fait assez long pour être confortable. M. Firth examina la bouche de Ruth.

– C'est magnifique, Mlle Tilling, déclara-t-il. Vous avez une remarquable faculté de cicatrisation, un réel don de guérison. Votre mâchoire va maintenant subir une coupe de sept bons centimètres, deux centimètres et demi sont d'habitude le maximum envisagé mais de nouveaux progrès dans la technologie au laser et la micro-chirurgie rendent possibles bien des choses qui ne l'étaient pas jusqu'ici. Votre visage fera date! Bien sûr, dans ce but, nous avons dû extraire trois fois plus de dents qu'à l'ordinaire afin de réduire en proportion la voûte du palais. Je crois que j'ai plus souffert que vous – extraire des dents si saines, vigoureuses et bien accrochées dans l'intérêt de l'apparence plutôt que de la santé, n'est pas du goût d'un dentiste. Toutefois le monde avance, que ça nous plaise ou non. J'espère que vous conviendrez avec moi que l'acupuncture est un moyen merveilleusement sûr et efficace pour maîtriser la douleur.

– Ha de ba vait augun deffet, répondit Ruth après avoir

craché dans l'eau mauve et tourbillonnante de la vasque en inox, comme vous le savez parfaitement bien.

M. Firth se permit encore quelques remarques sur le caractère antisocial de la chirurgie esthétique qui prenait le temps et le savoir-faire de praticiens hautement compétents, et sur la vanité et la frivolité des femmes qui y avaient recours, puis il appela sa réceptionniste blonde aux jambes de gazelle pour recevoir l'argent de Ruth. Ruth paya à M. Firth 1 761 dollars, dont 11 dollars au rayonnant petit hygiéniste qui avait procédé au lissage final des chicots pointus et à la pose des couronnes provisoires. Ruth informa M. Firth qu'elle se ferait poser les couronnes définitives ailleurs.

– Agissez comme bon vous semblera, répondit-il. Je ne peux pas vous en empêcher. Mais pas un médecin honnête ne s'en chargera. On vous prendra votre argent, on vous mettra des jolies petites dents nacrées mal assorties avec votre caractère et qui paraîtront ridicules.

– Alors je changerai de caractère pour aller avec les dents, lança Ruth. Bonne journée!

Ruth se rendit à son rendez-vous avec M. Roche, le plus grand chirurgien de la ville. Il remodelait les nez, c'était sa spécialité. Il avait débuté par la gynécologie mais avait trouvé le fardeau de la responsabilité – donner et prendre la vie – trop lourd. La chirurgie esthétique, en comparaison, était simple et agréable.

Ou du moins l'avait-il cru. Ruth était arrivée avec des exigences plastiques de grande envergure, complexes et même risquées. Il se tourna donc vers son protégé, M. Carl Ghengis, pour trouver de l'aide. Les deux hommes étaient présents quand Ruth fut introduite dans le cabinet de consultation.

M. Ghengis, qui approchait de la cinquantaine – une décennie de moins que M. Roche – était un ambitieux. Il avait démarré dans la vie comme mécanicien automobile, on lui avait ôté l'appendice vers vingt-cinq ans et il avait compris que le corps humain n'était rien d'autre qu'une machine, il s'était alors lancé dans la médecine en commençant sa carrière avec de faux diplômes d'une université qui n'existait pas; pourtant il s'était avéré un médecin si brillant que ce défaut de départ, même après avoir été révélé par une infirmière malveillante, avait été oublié.

Il avait été quelques années l'assistant de M. Roche puis était parti s'installer en Californie, quand éclata le boom des manipulations génétiques. Il continuait à rendre visite à M. Roche de temps en temps et se chargeait des rares patients dont les problèmes déconcertaient, préoccupaient ou effrayaient son mentor, et qui disposaient de moyens financiers raisonnables. Raisonnables, pour des gens habitués à traiter avec des multi-milliardaires, signifie une très grosse fortune. M. Carl Ghengis était fringant, passionné, sa peau et ses manières étaient douces, sa silhouette svelte. Il avait des yeux tendres et un teint à peine mat. Son père était américain, sa mère de Goa. Il se mouvait comme un jeune homme, presque sur la pointe des pieds, semblant toujours prêt à s'envoler. Ses doigts étaient longs, pâles, vigoureux, et aplatis au bout à la façon d'un scalpel.

Il prit les grandes mains de Ruth dans les siennes, les lissa et les examina, comme une mère, puis leva les yeux vers elle.

– Nous pouvons tout changer sauf les mains, déclara-t-il. Elles restent la preuve de votre hérédité et de votre passé.

– Eh bien, je porterai des gants, riposta Ruth agacée. La richesse l'avait rendue résolue, abrupte et irritable.

– Dites-moi, demanda-t-il car il croyait au pouvoir de l'intimité, que voulez-vous vraiment?

– Je veux que les hommes me regardent de haut, voilà ce que je veux, répondit-elle, déjà de meilleure humeur.

Elle rit, de son rire grinçant et désagréable.

On pourrait retendre les cordes vocales, songea-t-il, modifier la résonance du larynx et changer le rire. Rien ne lui paraissait naturel. Il pensait que le corps humain était, au mieux, un instrument imparfait qu'il fallait accorder et rajuster jusqu'à ce qu'il corresponde à l'âme. Il avait autrefois eu les orteils en marteau, maintenant de petites attelles de plastique longeaient l'os et les maintenaient droits; au bord de la piscine on pouvait admirer ses orteils, mieux accordés à sa nature. Sa mère avait été pauvre, il avait porté les souliers de son frère aîné, ça ne lui avait pas réussi.

M. Ghengis et M. Roche déshabillèrent, pesèrent, photographièrent et examinèrent Ruth sous toutes les coutures.

– Mieux vaut trop que pas assez! lança M. Ghengis à M. Roche en plaisantant. Plus facile de soustraire que d'ajouter. Pensez-vous qu'elle va se putréfier?

– Je ne pense pas, répondit M. Roche. Les gencives ont superbement cicatricé. Vous voyez?

Ils scrutèrent sa bouche comme si elle était un cheval dont ils essayaient de deviner l'âge.

– J'aimerais bien essayer le nez quand même, dit M. Roche.

– Je vous ferai venir en avion pour le nez, proposa gentiment M. Ghengis.

– Vous ne pouvez pas opérer ici? M. Roche parut surpris. Il faudra qu'elle aille à l'étranger?

– Ma clinique, précisa M. Ghengis, dans le désert de Californie.

– Des petites vacances me conviendraient à moi aussi, réfléchit M. Roche, en regardant la pluie tomber sur la ville.

Il reporta son attention sur la patiente.

– Son cœur bat très lentement. Presque anormalement.

– Mieux vaut trop lent que trop rapide.

– Et une tension remarquablement basse, ajouta M. Roche.

– C'est un bien, assura M. Ghengis. Ce qui n'est pas bien c'est la couche de graisse.

– Vous ne pouvez pas tailler dedans aussi? demanda M. Roche.

– Pas sur une trop grande surface, répondit M. Ghengis. Mieux vaut qu'elle maigrisse maintenant qu'après, et de façon naturelle.

– Combien de kilos? demanda M. Roche.

M. Ghengis se tourna vers Ruth qui remettait ses vêtements derrière le paravent. Le paravent lui arrivait tout juste à l'épaule.

– Quand vous aurez perdu vingt kilos, déclara-t-il, nous commencerons.

Vivre avec Vickie avait fait grossir Ruth jour après jour. La nourriture que la maisonnée avait les moyens de se payer était riche en hydrates de carbone, et l'ennui imposé par la pauvreté poussait les deux femmes à grignoter sans cesse, à chiper des rotaillons dans l'assiette des enfants. Du café très sucré et des biscuits les aidaient à passer les longues matinées, du thé très sucré et des petits pains au lait les mornes après-midi.

Ruth rentra chez Vickie et lui annonça qu'elle n'avait plus besoin de la chambre du fond.

– Mais je suis enceinte, geignit Vickie, comme si ça lui donnait des droits particuliers dans le monde.

– Tu le seras toujours, répondit Ruth tristement en ramassant ses quelques affaires.

Le lit ici était trop court, mais quand un lit ne l'avait-il pas été? Les draps étaient minces et tristes, on avait beau les laver, ils demeuraient tachés de vives éclaboussures aux endroits où les enfants avaient oublié des crayons feutre sans capuchon.

– Que vais-je devenir? pleurnicha Vickie.

Martha et Paul s'accrochèrent aux grosses chevilles de Ruth, elle s'en débarrassa assez facilement. Andy et Nicola s'étaient cramponnés avec des griffes autrement plus acérées. Il arrivait à Ruth de rêver de ses enfants, ils tendaient leurs petits bras vers elle, mais elle savait fort bien au réveil qu'ils avaient trop grandi pour qu'elle les enlace.

– Si j'étais toi, conseilla Ruth, je vendrais le bébé à naître, d'avance, pour une grosse somme d'argent, à des parents adoptifs. Bien sûr tu peux aussi vendre Paul et Martha. Le monde est plein de gens riches qui ne pensent qu'à adopter des enfants blancs, beaux et en bonne santé. De cette façon tu donneras à tes enfants un meilleur départ dans la vie, tu leur assureras une existence plus longue, des amis plus intéressants, des partenaires sexuels plus beaux, et une vie plus satisfaisante que si tu les condamnes à râcler les fonds de tiroirs dans ce taudis avec toi. Vends-les!

– Mais je les aime! s'écria Vickie, choquée.

– Leurs parents adoptifs les aimeraient aussi. Des petits êtres aux grands yeux réveillent l'instinct protecteur chez presque tout ce qui vit. Qu'un bébé crocodile pousse à peine un léger vagissement et toute la tribu anthropophage se précipite pour voir ce qui ne va pas. Pense un peu, Vickie, tu pourrais partir en vacances avec l'argent!

– Mais je leur manquerais. Ils souffriraient. Et «le lien», alors?

On parlait beaucoup du «lien» à la clinique et on s'efforçait de le développer. Les mères qui s'occupaient de leur progéniture plutôt que de laisser l'État s'en charger grevaient moins les fonds de l'Assistance publique.

– Et leur impetigo, alors? demanda Ruth. Et leurs engelures, et leurs nez qui coulent?

Vickie, vexée par l'idée d'impetigo, déclara que si Ruth devait s'en aller, qu'elle le fasse tout de suite, que de toute façon elle avait toujours mangé plus que sa part et fait moins de ménage que sa part, même si elle, Vickie, avait tenu sa langue jusque-là.

– Et la fraternité, alors? demanda Vickie. Tu répètes sans arrêt que les femmes devraient se tenir les coudes. Et regarde-toi un peu!

Ruth haussa les épaules. Vickie suivit Ruth jusqu'à la porte.

– Tu es immonde, jeta-t-elle. Tu es immorale, sans cœur et immonde! Je remercie Dieu de ne pas te ressembler. Tu crois que l'argent égale le bonheur. Mais non. Comment pourrais-je échanger mes enfants, le sens de ma vie, pour de l'argent?

Vickie courut derrière Ruth qui arrivait au portail.

– En supposant que je fasse une chose aussi affreuse, reprit Vickie, en supposant que je veuille vendre mes enfants, où devrais-je m'adresser?

Ruth qui connaissait désormais la ville comme sa poche et les astuces du peuple vivant dans ses bas-fonds, le lui expliqua. Puis elle passa chez le père Ferguson. Elle savait que c'était un homme frugal; si elle devait perdre vingt kilos, il fallait qu'elle vive dans une maison où la chère était maigre et la vie austère.

26

Mary Fisher a très peu d'argent en banque, et plus que La Haute Tour à son nom. Ses autres maisons ont été vendues pour payer les frais d'avocats de Bobbo. Le fisc, furieux contre Bobbo et par procuration contre Mary Fisher, a décrété qu'elle lui devait d'énormes sommes d'argent – elle n'a pas payé assez d'impôts les années précédentes. C'est le Juge Bissop qui ratifie les demandes et rejette l'appel de Mary Fisher, ébahie. Elle a encore plus d'honoraires d'avocats à payer. Ses droits d'auteur pour les années à venir sont retenus à la base. *Les portes du désir* est presque terminé. Elle fonde des espoirs sur ce livre. Il faut bien qu'elle ait un peu d'espoir, quelque part. Comme tout le monde.

Mary Fisher se réveille toute seule, elle frissonne et sanglote dans ses draps de soie. Elle ne désire personne d'autre que Bobbo, il n'y a personne d'autre à désirer de toute façon. Garcia fait l'amour à Joan, la fille du village, dans tous les coins obscurs de la maison. Mary Fisher proteste.

– Je fais ce qu'il me plaît, riposte Garcia. De quel droit y trouvez-vous à redire? Il fut un temps où vous ne preniez même pas la peine de répondre au téléphone, tellement vous vous y donniez à fond et vous vous moquiez bien qu'on le sache!

Mary Fisher a peur de Garcia qui en sait trop et pourrait toujours aller tout raconter, mais quoi et à qui, elle s'en souvient à peine. Tout ce qu'elle sait c'est qu'elle ne doit pas le fâcher.

Elle sombre dans la paresse. Les tiraillements de désir inassouvi diminuent, ou peut-être s'y est-elle simplement habituée. Elle mange des ravioli en boîte, des paquets de bonbons acidulés et prend du ventre. Elle ne se souvient plus du visage de Bobbo, pas plus qu'il ne se souvient de son visage à elle. Elle se souvient de l'amour, pourtant, et continue à écrire sur le sujet. Elle termine *Les portes du désir*. Ses éditeurs sont contents. Peut-être sera-t-elle bientôt riche à nouveau? Peut-être!

Mary Fisher s'agite, se languit, attend d'être rassasiée, et écrit sur l'amour. Ses mensonges sont pires, car elle sait désormais que ce sont des mensonges. Elle se souvient de son passé, elle comprend qui elle est.

Mary Fisher a été vilaine, elle s'est installée dans une haute bâtisse au bord d'une haute falaise et a lancé un nouveau rayon de lumière dans les ténèbres. Cette lumière était traître; elle parlait d'eau claire, de foi et de vie, quand en vérité il y avait des récifs, l'obscurité et la tempête là dehors, et même la mort. Or il ne faut pas endormir la vigilance des marins mais les mettre en garde. Ce n'est pas seulement pour moi que je crie vengeance.

Je peux, je suppose, en définitive, pardonner bien des choses à Mary Fisher. C'est au nom de l'amour qu'elle a agi ainsi, avant que je l'amène à comprendre ce qu'est l'amour ou, en vérité, ce que c'est d'être abandonnée par un mari, condamnée à une existence de morte-vivante, humiliée, angoissée, en proie au malheur. J'en aurais sans doute fait autant si j'avais été dans ses petits souliers du 36. Mais je ne lui pardonne pas ses romans. Les diablesses ont le droit d'être irascibles.

Garcia téléphone pour demander s'il doit faire piquer Lasso. Il n'arrive pas à obtenir une réponse claire de Mary Fisher, qui ne se console pas plus que le chien de l'absence de Bobbo. Lasso, explique Garcia, est à présent perturbé, incontinent, il se jette sous les voitures et s'est mis à voler dans l'assiette de Mary Fisher. Même le vétérinaire reconnaît qu'il faut lui accorder la délivrance. Quel est mon avis?

– Je pense que vous devez suivre le conseil du vétérinaire, dis-je.

Je ne peux pas laisser Lasso manger dans l'assiette de Mary Fisher. Au fur et à mesure qu'elle grossit, moi je vais maigrir. C'est la vie.

Lasso va chez le vétérinaire et n'en revient pas.

– Croyez-vous en Dieu? demande Mary Fisher à Garcia.

– Évidemment! s'exclame-t-il.

– Moi aussi, autrefois, avoue-t-elle. Si seulement je pouvais croire à nouveau. Il était une telle consolation.

27

Le père Ferguson habitait une maison à côté de son église, au centre ville, là où les nouvelles tours n'avaient pas encore supplanté les bâtiments bas en brique d'autrefois. Il cherchait une gouvernante depuis un bon moment, sans succès, car la maison était vaste, glaciale, vieille, connue pour être hantée, privée de chauffage en hiver et de climatisation en été. Le père Ferguson n'aimait pas le confort, il se sentait mieux dans son âme lorsqu'il avait un peu faim, trop chaud ou trop froid, ou quand il avait mal aux dents. Tout le monde connaissait en ville sa silhouette maigre et tourmentée aux cheveux blancs, allant et revenant en petites foulées de son église à la Mission de Bradwell Park, matin et soir. Huit kilomètres les séparaient.

– Tiens, le voilà ! s'écriaient ses paroissiens. Il est incroyable ! Pour un prêtre il a de drôles d'idées mais c'est un vrai prêtre. Ou alors un saint !

Il avait trente-cinq ans. Ses cheveux avaient blanchi à l'âge de vingt-neuf ans, lorsqu'il avait dû accoucher une mère droguée dans un taudis. Le bébé était mort-né. La mère s'était réjouie. Il avait eu alors le sentiment que le diable vaquait en liberté dans le monde.

Désormais il travaillait auprès du peuple. Ses supérieurs ne l'appréciaient guère, car il ne se contentait pas de faire de la politique, ses positions étaient toujours imprésivibles. On savait qu'il avait déclaré en public que les bouches devaient être remplies avant que l'on puisse nourrir les âmes. Il rejetait la responsabilité du péché sur l'État, il prêchait la révolution tout en observant un quiétisme presque absurde dans ses affaires privées. Il demandait que l'on retire l'alcool du vin de messe. Il signait des pétitions contre la guerre nucléaire. Ses ouailles ne l'aimaient pas non plus, tout en se sentant contraintes de l'admirer, car il recommandait le célibat pour les gens non mariés et l'abstinence pour les gens mariés s'ils avaient décidé de ne pas avoir d'enfants. Ses ouailles le croyaient fou. Il existait à présent des antibiotiques contre les maladies vénériennes, et la contraception – et si nécessaire l'avortement – pour éviter les naissances non désirées; alors de quoi se mêlait-il? Les agences pour l'emploi le trouvaient malveillant et désespérément vieux jeu. Autant reprocher à la lune d'être lunatique!

L'église du père Ferguson s'écroulait, personne ne voulait l'aider à la remettre debout. Il n'y avait pas que la maison, on disait aussi de l'église qu'elle était hantée. Que l'on pousse la porte par une nuit solitaire et l'on pouvait entendre, sentir et voir de la musique, des odeurs d'encens et des éclats de couleur fugaces. Dehors, dans la grande ville nouvelle, la rumeur de la circulation s'amplifiait, jour et nuit, sans jamais s'arrêter; ici dans la vieille église flottait le souvenir de cet autre monde, très ancien, qui composait le nouveau, et y laissait sa poésie et ses usages d'autrefois pour l'enrichir. Les gens frissonnaient et tremblaient à l'idée de fantômes divins, mais pas diaboliques. Dans la maison, racontait-on, des moines allaient et venaient indistinctement alors que certainement jamais un seul moine ne l'avait habitée.

Le père Ferguson n'avait pour sa part jamais rencontré

l'Esprit-Saint dans son église ni l'esprit des moines dans sa maison et critiquait avec violence ceux qui les avaient vus.

– Je crois en Dieu, lançait-il, pas aux fantômes. Croire aux fantômes est une insulte à la création du Tout-Puissant !

Un promoteur immobilier guignait le terrain sur lequel se trouvaient l'église et la maison pour y construire encore une nouvelle tour de bureaux. Les chefs du père Ferguson, qui se débattaient dans les ennuis financiers, auraient aimé que la vente ait lieu, mais le père Ferguson était entêté. On cita ses déclarations dans la presse locale. Selon lui, l'Église se déchargeait de ses responsabilités, abandonnait les quartiers pauvres au diable et aux féministes (la société immobilière était dirigée par une femme), et tournait le dos aux malheureux de ce monde. Le père Ferguson semblait assimiler le diable au capitalisme, non au communisme, ce qui était fâcheux. L'affaire atteignit la presse nationale et le père Ferguson fit de nouveau les gros titres en suggérant que l'on devrait autoriser les prêtres à se marier, que le célibat devrait être une question de choix, qu'il était impossible de bien s'occuper du monde copulant et grouillant de Dieu en étant un demi-homme. L'expression était de lui. « Demi-homme. »

– Père Ferguson, s'enquirent ses chefs, avons-nous bien entendu ? Vous recommandez le mariage sans sexe aux brebis et le mariage avec sexe au berger ? N'est-ce pas incohérent ?

– Pas aussi incohérent que Jésus, rétorqua le père Ferguson sans se démonter.

Le père Ferguson passait une petite annonce par semaine pour trouver une gouvernante – il ne s'en sortait pas avec ses vêtements. Il lavait ses chemises avec soin mais elles n'étaient jamais propres. Il en frottait le col jusqu'à l'élimer mais la crasse s'accrochait, il ne comprenait pas pourquoi. Chaque fois qu'il ouvrait la grande armoire ancienne qui avait appartenu à sa mère – et que sa grand-mère avait offert à celle-ci en cadeau de mariage – pour en sortir ses pantalons, il y trouvait des taches dont il aurait pu jurer qu'elles n'existaient pas la veille. Peut-être les avait-il rangés dans la pénombre et ressortis en pleine lumière ? Sauf que la maison n'était jamais claire. Autrefois elle était entourée de champs, de fleurs et d'arbres, les fenêtres laissaient entrer plus de clarté qu'il ne fallait ; maintenant les garages et les tours encombraient et absorbaient la lumière de Dieu, ne laissant derrière eux qu'obscurité et vapeurs d'essence.

Il avait parfois l'impression de vivre en enfer. Dans le réfrigérateur la nourriture tournait. Il ne comprenait pas pourquoi. Le froid était censé conserver les aliments. L'intérieur de l'appareil était couvert d'une moisissure piquetée et noirâtre. Peut-être y laissait-il simplement la nourriture trop longtemps, oublieux du temps qui passe. Il n'était ni un gourmet ni un gros mangeur mais il aimait trouver un vieux bout de fromage ou un œuf pour son dîner.

Quand Molly Wishant se présenta pour la place de gouvernante, le père Ferguson eut l'impression que son problème était enfin résolu. C'était une femme à nulle autre pareille. Ses paroissiens ne risquaient pas de voir en elle une source d'excitation érotique. Elle était solide, intelligente et parlait bien, elle ne cherchait pas refuge chez lui et sa raison pour solliciter la place – la volonté d'occuper son temps utilement tout en perdant vingt kilos, ainsi qu'un docteur le lui avait suggéré – lui paraissait insolite mais acceptable. Elle ne deviendrait pas hystérique et ne prétendrait pas que la maison était hantée. C'était quelqu'un de trop morne pour jacasser au petit déjeuner ; elle ne portait pas, comme bien d'autres, de croix en or autour du cou qui tournait en dérision la mort de Notre Sauveur. Les verrues poilues qui déparaient son visage prouvaient qu'elle n'était probablement pas vaniteuse et ne passerait donc pas un temps fou à la salle de bains, soir et matin, au risque de le gêner. Elle ne gonflerait pas les notes d'épicerie. Il ne pensait pas que le seul fait de perdre du poids aiderait beaucoup cette pauvre créature – elle resterait disgracieuse – mais ce n'était guère à lui de le faire remarquer.

– Ne vous ai-je pas déjà vue quelque part? s'enquit-il.

– Je donnais un petit coup de main chez Vickie. Vous savez, la fille enceinte avec deux enfants et pas de mari, à Bradwell Park.

– Je ne vois pas bien, répondit-il. Il y en a tant comme elle.

– Et il y en aura plus encore, assura Molly Wishant, si vous continuez à leur dicter leur conduite.

– Nous sommes tous les enfants de Dieu, dit-il très surpris.

Il espérait que le froid ne la gênerait pas, qu'elle ne gaspillerait pas le chauffage électrique pour rien. Elle répondit qu'elle pensait que ses tâches la réchaufferaient. C'était le premier jour de son service. Elle dormait dans une des chambres du grenier où le plâtre s'écaillait et tombait du plafond dès qu'un camion passait dans la rue. Le lit était en treillis métallique tendu sur un cadre en fer et le matelas en vieux, vieux crin de cheval.

Au bout d'une semaine Molly signala que les chemises du père Ferguson avaient besoin d'être remplacées. Le père Ferguson répondit qu'elles n'avaient que dix ans, et quand elle souligna que c'était très vieux pour une chemise, il rétorqua que celles de son père avaient duré vingt ans, alors elle accepta de faire avec. Elle tailla dans les pans et rapiéça les dessous de bras. Les cols du prêtre étaient détachables –

un oncle lui en avait légué une douzaine en héritage – ils résistaient plutôt mieux que les chemises.

– Dieu protège son bien, observa le père Ferguson.

Quelques temps après elle réclama du savon et de l'eau chaude pour la lessive. Il expliqua qu'en Italie, au séminaire où il avait été formé, on lavait à la rivière à l'eau froide et sans savon. Molly souligna que là-bas l'eau était peut-être plus douce, mais que l'eau de la ville était calcaire, et elle accepta d'utiliser les nouveaux détergents qui s'employaient aussi bien à l'eau froide que chaude.

Elle mena une enquête à propos des taches sur les pantalons, et découvrit au sommet de l'armoire une sorte de moisissure dont suintait de temps à autres des gouttes de liquide poisseux. Elle l'élimina.

Elle vissa des ampoules de 100 watts dans les douilles, à la place des ampoules de 40 watts qui paraissaient naturelles au père Ferguson. Les ombres aux formes de moines révélèrent leur véritable nature : c'étaient les longs rideaux de l'entrée, soulevés par le courant d'air soufflant en rafales du grenier quand le feu était allumé au salon, qui projetaient des formes vagues sur la galerie du premier. Le père Ferguson s'inquiéta de la dépense occasionnée par les ampoules plus fortes, mais elle lui garantit que la différence de prix était minime.

Il la crut. Elle inspirait confiance. Elle perdit six kilos au cours du premier mois où elle travailla pour lui. Elle paraissait savoir ce qu'elle faisait. Elle était solitaire et il la plaignait.

Elle refusa de nettoyer son église. Elle rit et déclara que ce ne serait pas convenable pour une mécréante. Elle expliqua qu'elle ne croyait pas en Dieu mais qu'elle croyait au diable. Elle l'avait rencontré tout récemment et avait eu avec lui des contacts plus intimes qu'elle ne l'aurait voulu. Il songea qu'il préférait encore avoir affaire à quelqu'un qui reconnaissait l'existence du diable, plutôt qu'à tous ceux qui affirmaient croire en Dieu mais ne Le voyait qu'en des termes anthropomorphiques qui Le banalisaient.

Il lui parla des rumeurs selon lesquelles l'église était hantée, elle répondit que ces rumeurs, c'étaient certainement les promoteurs immobiliers qui désiraient acheter le terrain qui les avaient répandues.

Il en vint à penser, en l'espace de six ou sept semaines, qu'elle était précieuse, une perle de femme. Pour quelqu'un de si gros, elle se déplaçait en silence. Il espéra qu'elle ne partirait jamais. Il se mit à lui offrir des petites bouchées de nourriture – d'abord des petits carrés de fromage, des pommes, puis il passa à la boulangerie du coin et rapporta à la maison des beignets à la confiture et des chaussons aux pommes. Pas bon marché, mais plus vite elle maigrirait, plus vite elle le quitterait.

Il se rendit compte que la vie pouvait s'avérer agréable sans être frivole. Il accepta en cadeau une bouteille de sherry de l'un de ses paroissiens – une femme qui, il le découvrit ensuite, avait donné ses trois enfants, deux nés et un à naître, à adopter. Ils étaient partis dans de bonnes familles chrétiennes, encore qu'au Liban... Il fit descendre Molly de son grenier pour l'aider à la boire. Les yeux du père Ferguson étincelaient d'un feu plus doux et ceux de Molly rougeoyaient. Dehors les semi-remorques passaient en vrombissant, la vaisselle cliquetait et les lampes frémissaient, comme dans un tremblement de terre. L'obscurité ou le silence ne régnaient jamais totalement dans la maison, en dépit du grand âge des esprits qui l'habitaient.

– Quel était le nom de cette femme ? s'informa Molly.

– Vickie, je crois, répondit le père Ferguson. Molly leva son verre.

– Combien lui en a-t-on donné ? demanda-t-elle.

– Même à Bradwell Park, protesta le père, les femmes ne vendent pas leurs enfants pour de l'argent !

– Alors elles devraient s'y mettre, rétorqua Molly.

À eux deux ils burent toute la bouteille de sherry.

– Jésus a transformé l'eau en vin, observa Molly, il ne devait pas en avoir une si mauvaise opinion.

– Exact, admit le père Ferguson, et il ouvrit une autre bouteille que Molly avait apportée. Elle refusa d'en prendre, en soulignant qu'elle était au régime, et il dut la boire tout seul.

– Autrement, expliqua Molly, il va s'éventer.

Le père Ferguson avait reçu récemment une lettre de son évêque le priant de ne pas s'adresser à la presse sans en référer d'abord à ses supérieurs et lui suggérant de réfléchir sérieusement s'il était ou non coupable du péché d'arrogance.

– Comment un homme peut-il être humble et améliorer le monde ? demanda-t-il.

– Il ne le peut pas, répondit-elle, lui donnant ainsi l'autorisation de pécher. De toute façon, qu'est-ce que l'arrogance ? Ce n'est qu'un mot. Je suis convaincue ; vous êtes un pharisien, lui est arrogant.

– Comment un homme peut-il observer le célibat et comprendre sa nature profonde ?

– Il ne le peut pas, répondit-elle, justifiant ainsi sa frivolité.

Il la considéra d'un œil songeur. Ses deux rangées de dents provisoires d'un blanc cru luisaient comme une invite.

– Voulez-vous m'épouser ? demanda-t-il.

Elle parut très surprise.

– Un mariage civil. Et qu'ils m'excommunient, s'ils l'osent !

Tout en parlant il lui sembla voir, du coin de l'œil, un miroitement en haut sur la galerie, les silhouettes encapuchonnées d'hommes qui allaient et venaient ; mais il savait que ça ne pouvait être que son imagination, ou les effets de l'alcool auquel il n'était pas habitué.

– Avez-vous vu quelque chose là-haut ? demanda-t-il.

– Rien du tout. Elle mentait. Seuls les coupables voient des fantômes, ajouta-t-elle.

C'était sans doute vrai, il en avait peur.

Elle ne l'épouserait pas, déclara-t-elle, elle ne pouvait pas, elle était déjà mariée et pour elle le mariage c'était une fois pour toutes, à la vie à la mort. Quant au reste – toute autre façon d'organiser leurs existences pour leur profit mutuel, d'augmenter le capital de sa connaissance de soi, de faire de lui un meilleur prêtre – il leur faudrait attendre et voir venir.

Le père Ferguson n'avait pas songé un seul instant qu'il pourrait rencontrer une résistance. Que les prêtres doivent se marier, avoir des relations sexuelles avec le sexe opposé était une chose, semblait-il ; mais qu'ils puissent se marier, puissent trouver quelqu'un dans leur lit, en était une autre. Il commença à entrevoir les complexités de la vie dans le monde temporel.

– Vous devez comprendre, expliqua-t-il, que pour un homme tel que moi, perdre sa virginité avec une femme telle que vous ne pourrait être interprété comme un acte inconsidéré, encore moins un acte de turpitude charnelle. Cet événement serait « chastement » réfléchi et accompli.

– Vous êtes très convaincant, reconnut-elle, s'autorisant à être convaincue.

Il y eut un soudain émoi parmi les visiteurs fantômatiques du premier étage mais elle les regarda en face et ils s'évaporèrent, se fondirent dans le néant tandis qu'il la conduisait à sa chambre.

À côté d'elle, au lit, il se sentit au chaud et protégé. Il avait le sentiment que rien de lui n'était parti en elle – ce qu'il avait imaginé être le cas lors de la rencontre sexuelle – mais qu'au contraire quelque chose d'elle était passé en lui.

Ils mangèrent des œufs au bacon pour le petit déjeuner, des tartines, de la confiture et burent du café. Il ne se lamenta pas de son extravagance. Il aurait bien renoncé à se rendre en petites foulées à Bradwell Park mais il pensa que cela risquait de soulever des remarques.

– Vous me faites soit beaucoup de mal, soit beaucoup de bien, déclara-t-il à Molly.

Elle grossit d'un kilo et demi, abandonnant son régime par égard pour le père Ferguson, et ensuite il ne dit plus que :

– Vous me faites beaucoup de bien.

Il savait qu'il avait changé, car lorsqu'au bout d'un certain temps il reçut la confession d'une femme qui avait utilisé des contraceptifs et que son mari avait quittée, il n'assimila pas le fait et sa conséquence.

D'habitude, dans ce genre de cas, il déclarait : « Mon enfant, vous avez reçu votre châtiment sur cette terre, vous êtes pardonnée. » Ce jour-là il lança d'un ton vif :

– Mon enfant, je suis sûr que notre Père qui est aux cieux louerait votre bon sens. Vous avez eu l'intelligence de savoir que votre mari vous quitterait et vous avez pris la responsabilité de ne pas mettre au monde une autre bouche à nourrir par l'État. Que la paix soit avec vous!

Il voulait monter l'événement en épingle, bien sûr. C'était dans sa nature. Il voulait clamer à la face du monde qu'il n'était plus un « demi-homme », revendiquer son droit de faire l'amour avec sa gouvernante s'il en avait décidé ainsi. Molly ne le voulait pas.

– Ils prendront des photos et j'ai horreur qu'on me photographie, protesta-t-elle.

Bon, il pouvait la comprendre.

Au bout de trois mois, avec les fonds de la paroisse, Molly lui acheta des chemises et des pantalons neufs – depuis des années il n'avait jamais dépensé tous les crédits alloués pour ses besoins personnels. Ils partageaient la chambre de Molly et, quand il faisait froid, allumaient les trois serpentins du radiateur électrique. Il commença à comprendre, alors qu'il attendait que la nuit tombe et que vienne l'heure du coucher, pourquoi ses ouailles tenaient tant à leurs plaisirs sexuels.

Molly déclara un soir du quatrième mois que le problème dans les banlieues ouest n'était pas le sexe, dont tout le monde savait que c'était un sacrement, mais l'amour. Avait-il jeté un coup d'œil aux kiosques à journaux ces derniers temps? Comprenait-il que presque toutes les femmes qui savaient lire achetaient des romans sentimentaux? Quel espoir leur restait-il d'atteindre un jour la maturité affective, sans parler de gagner le moindre sens moral, si elles lisaient de telles idioties?

– L'amour terrestre est un simulacre de l'amour divin, répondit le père Ferguson. J'ai peine à croire qu'il soit aussi dangereux que vous le dites.

Mais il se souvint de ses paroles et dans sa conférence de presse suivante – il en avait donné une par semaine depuis qu'il avait reçu la lettre de son évêque lui adjurant la prudence – il souligna que les pourvoyeurs de fiction (en l'absence d'aucun conseil d'une Église dévitalisée, et on connaissait ses opinions à ce propos) représentant la force morale la plus puissante du pays, devraient être soumis au contrôle de l'Église. Les écrivains en personne, plutôt que leurs œuvres, devraient être examinés sous tous les angles afin que l'on juge de leur sens de la responsabilité sociale. L'écrivain aurait alors carte blanche pour écrire ce qu'il (ou elle) souhaitait. Ce n'était pas une question de censure, mais d'auto-censure.

Il y eut un agréable tumulte et de nombreuses protestations de la part de plusieurs organisations d'écrivains, ce qui laissa penser au père Ferguson qu'il avait vraiment mis le doigt sur un point sensible. Lorsqu'on donnait un petit coup au corps politique et qu'il poussait un cri perçant, il y avait quelque chose de moche dans les parages. Mais ses supérieurs lui reprochèrent de se mêler d'affaires qui ne concernaient pas l'Église et il abandonna la question.

– Vous les écoutez trop, protesta Molly.

– Je dois me soumettre, répondit-il. Je suis toujours un prêtre.

– Vous savez pourtant que la bureaucratie de l'Église est

vénale. Vous me l'avez répété assez souvent. Ce sont des politiciens ; vous êtes inspiré par l'esprit divin, par Dieu.

– Ma chère, vous allez un peu trop loin, je pense.

Mais il était ravi. Il abandonna tout de même la question des écrivains. Il commençait à s'endormir.

Le cinquième mois, Molly avait perdu douze kilos, il en avait pris quatorze. Il n'aurait pas pu se rendre en petites foulées à Bradwell Park même s'il avait voulu. Il avait fait poser une affichette à la Mission signalant que conseils et informations étaient disponibles à la clinique, et il ne s'y rendait plus qu'une fois par semaine, en taxi. Toutefois il se sentait coupable.

Molly fit installer le chauffage central dans la maison. Il sentit la chaleur envahir sa carcasse, son esprit ne fonctionnait plus avec calme et constance mais par accès soudains et agréables. Il était en proie, la plupart du temps, à une fatigue plaisante et sensuelle. Le vieux mobilier en chêne, les commodes, les bureaux, les tables qui se patinaient depuis des siècles dans les recoins sombres se fendirent et se gauchirent dans le nouvel air chaud. Les visiteurs fantômatiques avaient disparu pour toujours, chassés par la chaleur, le vin, la nourriture et le sexe. On ne les revit jamais.

Le sixième mois, Molly déclara que le père Ferguson était peut-être, par nature, un administrateur plutôt qu'un assistant social. Il pourrait peut-être cesser tout à fait de se rendre à la Mission de Bradwell Park.

– Mais ça signifierait la fermeture de la Mission !

– Votre fonction, mon cher, est d'être une épine dans le flanc de l'Église, pour le bien de l'Église. Vous vous souvenez de la parabole des talents ?

La Mission ferma donc et le père Ferguson fut libéré de ses sentiments de culpabilité. Il se chercha une occupation.

– Et la théorie de la responsabilité littéraire? proposa Molly.

– Une question trop épineuse.

– Mais, mon cher, vous portez la couronne d'épines!

Il écrivit des lettres convaincantes aux six plus grands écrivains de littérature sentimentale, choisis dans une liste fournie par Molly. Quatre répondirent, deux non. L'un de ceux-là était Mary Fisher.

– Je crois que vous devriez lui rendre visite, suggéra Molly. Je crois qu'il ne faut pas laisser passer une telle provocation. Ignorer la lettre d'un homme d'Église? Quelle insolence! C'est presque un blasphème. C'est une offense, pas simplement contre vous, mais contre l'Église!

– J'adore votre façon de vous ranger toujours de mon côté, remarqua-t-il. Je suis tellement habitué à ce que l'on se dispute avec moi que trouver quelqu'un qui soit d'accord avec moi est un ravissement.

Le père Ferguson enfila sa soutane, monta dans sa voiture neuve et partit pour La Haute Tour. Molly agita la main en signe d'adieu.

28

Mary Fisher habite La Haute Tour et réfléchit à la nature de la culpabilité et de la responsabilité. Elle pleure beaucoup. Il y a bien longtemps qu'elle n'a pas couché avec un homme. Elle adore Dieu, vu qu'il n'y a personne d'autre à adorer, et lui prête toutes les qualités dont le père Ferguson assure qu'Il est doté.

Elle adorerait bien aussi le père Ferguson, mais c'est un prêtre et elle suppose qu'il observe le célibat. Il ne lui est pas venu à l'idée qu'il pouvait avoir une nature sexuelle. Elle approche Dieu à travers lui, c'est tout.

La vieille Mme Fisher quitte son lit de temps en temps et hurle :

– Fiche-moi ce corbeau dehors. Les prêtres portent malheur.

Comme si la malchance n'avait pas déferlé de toutes parts autour de Mary Fisher, telles les vagues de la mer au pied de la tour, depuis que Bobbo avait quitté sa femme pour vivre avec elle.

Le père Ferguson assure qu'il ne s'agit pas de malchance mais du châtiment de Dieu pour ses péchés. Elle compte parmi les bienheureux, dit-il, bénis de Dieu. Il châtie ses préférés, semble-t-il, dans ce monde-ci et pas dans le suivant. Le père

Ferguson a ingurgité les meilleurs vins de la cave de Mary Fisher. Il n'y avait pas tellement de bouteilles, ceci dit. Mary Fisher laissait aux hommes le soin d'acheter le vin et dernièrement les hommes avaient disparu de sa vie.

C'est un signe des temps cette réduction, pas seulement des gens, mais aussi des choses. Où qu'elle pose les yeux, il en est de même. Le bébé qu'a eu Garcia de Joan est né avec un trou dans le cœur. Elle ne peut pas souhaiter tellement de bien au bébé, encore moins à sa voleuse de mère, mais le spectacle de leur chagrin la bouleverse. Le père Ferguson l'apaise et explique la nature de l'amour divin qui d'une façon ou d'une autre – elle ne se souvient plus très bien comment – rend enviable la peine et la souffrance.

Mary Fisher raconte au père Ferguson ce qu'elle a fait à la femme de Bobbo et aux enfants de Bobbo. Elle dit qu'elle comprend que c'était méchant. Elle dit qu'elle sait que l'amour ne justifie pas que l'on se conduise mal. Elle veut savoir comment bien se conduire.

– Vous écrivez des absurdités pernicieuses, répond le père Ferguson sans ménagement. Vous devez arrêter. Alors vous commencerez à bien vous conduire.

Ça aussi! Le père Ferguson explique comment elle a empoisonné la vie de millions de lectrices; elle leur a donné de faux espoirs. Elle est personnellement responsable de bien des souffrances de la gent féminine. Il lui reproche même le goût de la femme moderne pour le Valium. La main d'écrivain de Mary Fisher tremblote et s'arrête.

Le père Ferguson assure que Dieu est infiniment miséricordieux – Il pardonnera à ceux qui se repentent vraiment, s'ils croient vraiment. Mary Fisher a désespérément besoin de pardon. Elle veut croire vraiment, être convertie au catholicisme, et elle l'est.

Heureuse dans sa nouvelle foi, Mary Fisher redevient rondelette et jolie. Le père Ferguson et elle prient ensemble deux fois par semaine. Il vient dîner tous les mardis et les jeudis et passe la nuit du jeudi. Elle va se servir de son nom, de sa célébrité, de sa réputation, pour sauver le monde au lieu d'augmenter ses problèmes. Elle commence un roman, *Les portes du paradis de l'amour*. C'est l'histoire d'une religieuse et de sa lutte pour l'amour divin. Ses éditeurs sont ravis.

Le père Ferguson est moins satisfait. Il explique à Mary Fisher que l'amour divin et l'amour d'un jour ne s'excluent pas l'un l'autre.

– Il existe aussi une vérité de la création, rétorque Mary Fisher, plus forte sur les questions professionnelles que sur aucune autre. C'est ce dont a besoin ce roman. Et avec l'argent qu'il me rapportera, qui sait, je pourrai peut-être bâtir une chapelle sur ma propriété.

Il est choqué, en tout cas il la réprimande. C'est un jeudi soir. Elle va dans sa chambre et pleure, le laissant seul. Garcia guette le bruit des pas du père Ferguson gravir, derrière elle, l'escalier de pierre jusqu'à la chambre blanche et argent de sa patronne, mais il n'entend rien. Il est content, il était jaloux. Mary Fisher est de nouveau l'objet de son désir – Joan le déçoit, elle vole et a donné naissance à un bébé imparfait. Il monte dans la chambre de Mary Fisher.

On dirait que le temps, statique depuis si longtemps, en hibernation, mais qui maintenant bondit et s'agite, s'est mordu la queue. La voilà revenue à la case départ. Peut-être est-elle guérie de Bobbo, enfin!

Et puis le père Ferguson apparaît dans la chambre et Garcia file à toute vitesse, car un prêtre est un prêtre.

Mary Fisher est épouvantée.

– Prenez courage, recommande le père Ferguson en s'asseyant avec désinvolture sur le lit. C'est un petit péché véniel à côté du reste.

Mais elle ne le croit pas. Elle se rend bien compte. Elle croit en l'amour mais s'adonne à la luxure, adore Dieu mais obéit au diable. Elle est même incapable d'être fidèle à son amour pour Bobbo. Elle le voit tel un triton, un homme avec une queue, des pattes, et rien entre.

Elle est humiliée; elle, à qui le père Ferguson a reconnu l'existence d'une âme, trouvée baisant et grognant comme une bête, pas mieux que la chienne doberman.

Mary Fisher voit Dieu disparaître de sa vie, devenir de plus en plus petit, s'estomper à l'infini, l'abandonner sans pardon en proie à la culpabilité et rien d'autre.

– Nous devons conclure une trêve, se contente-t-il de déclarer, entre le bien et le mal, l'âme et le corps, l'esprit et la chair. Nous devons incorporer le mal au bien. Le nouveau Dieu vient non pas pour chasser le péché, mais pour l'accueillir. Il n'y a qu'en sachant ce que nous sommes que nous atteindrons le salut.

Et maintenant il veut la priver de sa culpabilité! C'est tout ce qui lui reste. C'est le seul ordre qu'elle puisse imposer au chaos de sa vie.

– Tout doit changer, lance le père Ferguson. Le péché doit changer. Mais il ressemble au vendeur d'indulgences de Chaucer, pansu, goulu et repu, comme s'il avait attendu là depuis toujours pour soutirer son prix. Il enveloppe sa petite silhouette dans ses grands bras vigoureux, enroule sa robe de laine marron autour d'elle. C'est un tissu fin et soyeux, pas un tissage rugueux du tout.

– Nous ne devons pas refuser nos élans négatifs, prêche-t-il. Nous sommes la création de Dieu, jusqu'à la dernière parcelle. Nous devons glorifier la chair en même temps que l'âme.

Bon, ça c'est moi qui le lui ai appris. Je souhaite le plus grand bien au prêtre et le plus grand mal à Mary Fisher. Garcia ôte son œil de la serrure : c'est fini, je ne vois plus la scène. Tout ce que je sais c'est que si elle le fait avec Garcia elle le fera avec lui, et s'il le fait avec moi il le fera avec elle. Pourquoi pas, sauf que j'accorde à contrecœur même dix petites minutes de bonheur à Mary Fisher. Il ne lui en donnera pas plus.

Mais j'aime aussi tourmenter Mary Fisher, lui lancer une petite étoile d'espoir et puis la lui arracher. Pourquoi pas? Je me souviens avoir préparé de la soupe de champignons et espéré un sourire de Bobbo, et des vol-au-vent au poulet dans l'espoir d'obtenir son approbation, et de la mousse au chocolat pour qu'il la quitte et me revienne. En vain. Qu'elle prenne donc ce qui se présente et s'en accommode. Elle n'a pas le choix de toute façon.

Entre temps, j'ai aperçu un inspecteur d'assurances fouiner autour du presbytère; le même qui était venu trier les cendres dans l'incendie de Nightbird Drive. Il est peu probable qu'il reconnaisse la femme avachie, égarée, empoisonnée, pesante, qui regardait sa maison partir en fumée. Maintenant je suis mince, coriace et vive. Tout de même, la prudence veut que je m'en aille. Les vautours ont l'œil perçant.

Le fait demeure qu'il me reste encore sept kilos à perdre.

Pour retourner comme une crêpe la vie du père Ferguson, pour transformer l'ascète en hédoniste, j'ai dû payer le prix. Ce sont les hommes qui font grossir les femmes, c'est évident.

Je dois aller où les hommes ne vont pas. Et puis de toute façon, ça ne me plaît plus ici. Le père Ferguson a vendu aux promoteurs, bien sûr, il est le chouchou de ses supérieurs. Les démolisseurs débarquent de temps en temps pour mesurer la maison comme les croque-morts mesurent les cadavres pour leurs cercueils. J'ai accompagné l'agonie de la maison, voilà tout, puisque j'ai provoqué sa mort. Ça n'a pas grande importance. J'ai chassé son âme quand j'ai chassé ses fantômes.

29

Ruth entra dans une communauté de féministes séparatistes. Ces femmes refusaient tout contact avec le monde masculin, elles acceptèrent Ruth volontiers. Elle se fit appeler Millie Mason. Comme elles, elle porta jeans, T-shirt, bottes et duffel-coat. Elles ne lui demandèrent aucune référence. Ruth était femme et en avait souffert, cela suffisait. Ses nouvelles compagnes ne mangeaient ni viande ni produits laitiers et trouvaient entre elles la satisfaction sexuelle. Séduire les hommes était le dernier de leur souci, quoique beaucoup fussent séduisantes. Les Feummes, c'était le nom qu'elles se donnaient, vivaient aux abords de la ville dans des caravanes rassemblées autour d'une vieille ferme. Elles cultivaient un champ de deux hectares où elles faisaient pousser des haricots, des céréales, de la consoude et de l'achillée, qu'elles récoltaient, traitaient et vendaient dans les boutiques de diététique du pays entier. Elles avaient des filles mais pas de fils. Ceux-là, elles s'en débarrassaient de façons qui paraîtraient sinistres au monde extérieur, mais tout à fait raisonnables à leurs yeux.

Ruth était solide, capable, et manquait de ces affectations communément qualifiées de féminines. Elle aidait les Feummes de son mieux mais se réjouissait que son séjour soit provisoire. Elle ne voulait pas vivre pour toujours dans leur monde. Il manquait un peu d'éclat sur les bords – il était couleur bleus-de-travail et pratique, détrempé par le flot boueux des égouts du purgatoire et non pas dansant et dangereux, brûlant du feu de l'enfer.

La vie était dure, le régime fibreux et pauvre en graisses, et son jean plus grand chaque semaine qui passait à force de labourer, biner, creuser. Il n'y avait pas de balance pour se peser et les miroirs étaient rares.

– Ton apparence ne compte pas, assuraient-elles. Ce qui compte c'est ton bien-être.

Ruth savait qu'elles se trompaient. Elle désirait vivre dans le grand courant étourdissant du monde et non pas cachée dans ce coin boueux d'intégrité. Toutefois elle n'en soufflait mot. Elle aurait risqué de se retrouver sans toit. Les Feummes n'acceptaient pas de bon cœur les dissidentes, elles les affublaient du titre honorifique de non-femmes.

Quand Ruth ne vit quasiment plus de différence entre sa taille et ses hanches, elle téléphona d'une cabine à M. Roche. Il n'y avait pas de téléphone dans la communauté, de tels instruments exerçaient une dictature, c'était un élément de la technologie masculine. En outre, les femmes n'avaient pas besoin de communiquer avec le monde extérieur.

– Vous avez perdu vingt kilos?

– Peut-être plus.

Il fixa à Ruth un rendez-vous avec M. Ghengis la semaine suivante. Ce dernier, annonça-t-il, viendrait tout spécialement en avion de Los Angeles.

– Vous êtes un cas intéressant, avoua M. Roche.

– Comment ça?

– C'est un tel défi!

– Je désire ressembler à ce à quoi je veux ressembler, pas à ce à quoi il veut que je ressemble, le prévint-elle.

Il y eut un bref silence.

– Ça risque de coûter très cher, finit par dire M. Roche.

Ruth transféra son argent déposé en Suisse dans une banque de Los Angeles, la transaction se passa sans trop d'encombres. Elle entra dans une librairie et acheta un exemplaire des *Portes du paradis de l'amour.*

– Ça se vend bien? demanda-t-elle.

– Très mal, répondit la libraire, un ramassis de bondieuseries! Et elle appela une vendeuse :

– Alice, ôtez donc les romans de Fisher des étagères. N'oubliez pas, à étagère gagnée bénéfice gagné!

Ruth découpa la photo de Mary Fisher dans la jaquette du livre et jeta le livre à la poubelle. Mary Fisher levait les yeux vers le ciel, le profil fin et délicat, à croire qu'elle et Dieu étaient reliés par téléphone rouge. Elle paraissait charmante, heureuse et petite. Ruth écuma les librairies pour dénicher d'autres romans de Mary Fisher qui présenteraient une photographie en pied et eut la chance d'en trouver un.

– Voyons! dit M. Ghengis quand il regarda les photos. Oh, oh! Il y a un os!

– Pourquoi donc? demanda Ruth, maussade.

– Les cheveux ce n'est rien, le visage pas de problème – nous avons sous les yeux des traits classiques. La bouche ne sera pas facile, mais faisable. Quand votre mâchoire sera raccourcie, la ligne des lèvres tombera assez joliment en place. Nous travaillons de l'intérieur vers l'extérieur, autant que possible bien sûr. Nous pouvons refaçonner le corps de manière très radicale. Vous avez minci, hein! Comment y êtes-vous arrivée?

– En me tenant à l'écart des hommes, confia Ruth.

– Pas un remède très populaire auprès de la plupart de mes patientes! Elles s'en paieraient plutôt une sacrée tranche à tout bout de champ. Mais les proportions vont paraître bizarres, cette dame mesure au moins 15 centimètres de moins que vous.

– Alors vous me ferez des ourlets aux jambes, conclut-elle. Je sais que c'est possible.

Il mit un petit moment à répondre.

– Sept centimètres et demi de fémur, c'est le maximum que l'on ait jamais ôté. L'os, ça s'enlève assez facilement, il suffit de couper. Mais les muscles, les artères, les tendons, doivent tous être noués en boucles de la même longueur, ou raccourcis. Ce n'est pas simple et pas totalement sans danger.

– J'accepterai la responsabilité, assura Ruth. Vous greffez des cœurs, des reins, des foies, que sais-je encore; tout ce que je vous demande c'est d'enlever le superflu.

– Mais dans quelle quantité!

– Les techniques chirurgicales modernes s'améliorent d'année en année. Vous pouvez employer les puces, la microchirurgie, le laser. Non?

– Un corps demeure un corps, répondit M. Ghengis, et un corps garde des cicatrices lorsqu'on le découpe. Parfois même des cicatrices kéloïdes qui plissent et se rident. Un affreux gâchis! Si cela arrive, nous n'avons aucun recours. Et nous ne pouvons vous couper plus de sept centimètres de fémur. C'est sans appel.

– Eh bien, coupez un peu de tibia.

– Ça n'a jamais été fait.

– Eh bien, soyez le premier. À moins que vous ne préfériez m'ôter quelques vertèbres?

– Non!

Il semblait affolé.

Elle sourit d'un air suffisant. Elle avait remporté une victoire, elle le sentait. Lui aussi. Il tenta une dernière manœuvre :

– L'autre problème qui se présente au chirurgien esthétique, expliqua-t-il, c'est que si l'on peut changer le corps, on ne peut changer la personne. Et petit à petit, ceci risque de vous sembler mystique mais notre expérience le prouve, le corps se refaçonne pour s'adapter à la personnalité. Or la personnalité de ceux qui ont le courage et la volonté de s'en remettre à la chirurgie esthétique est peut-être belle, mais pas jolie. Vous me demandez de vous rendre jolie, banale, si vous voulez bien m'excuser.

Il était allé trop loin. Il s'arrêta là.

– J'ai une personnalité exceptionnellement adaptable, signala Ruth. J'ai tenté de bien des façons de m'ajuster à mon corps et au monde dans lequel je suis née, en vain. Je ne suis pas une révolutionnaire. Puisque je ne parviens pas à les changer, je me changerai moi. Je suis tout à fait convaincue que je m'habituerai très bien à mon nouveau corps.

– Ça vous coûtera des millions de dollars. Cela en vaut-il la peine?

– Je les ai. Oui.

– Ça prendra des années.

– Je les ai.

– Je peux vous empêcher de paraître vieille, mais vous serez vieille.

– Non. L'âge est ce que voit l'observateur, pas ce que sent l'observé.

Il capitula. Il accepta de l'admettre dans sa clinique pour, selon son expression, une rénovation de grande envergure. Son assistant serait un certain Dr Black. Il convoquerait d'autres spécialistes selon les besoins. Il lui écrirait. En attendant, Ruth devait reprendre sa vie normale.

Ruth retourna dans la communauté et passa au motoculteur un carré d'un demi-arpent. Elle sentit les muscles de ses jambes vigoureuses travailler, elle sentit la sueur perler le long de ses puissantes épaules sous une chemise d'homme en jean. Elle vit une alouette s'élever toujours plus haut, créature légère et délicate au chant gazouillant, dans un petit pan de ciel bleu que le soleil de midi illuminait. Mais alors une couche plus basse de nuages noirs arriva en tourbillonnant et boucha la brèche, le jour s'obscurcit soudain et un éclair zébra le ciel là où l'alouette avait tournoyé.

Ruth offrit son visage au torrent de grosses gouttes qui se mit à tomber, la terre se mua en boue sous ses pieds chaussés de bottes en caoutchouc. Elle traîna la lourde machine jusque sous le hangar.

Dans la maison les autres femmes se rassemblaient, ôtant capes et bottes avec des fous rires. Elles se touchaient beaucoup les unes les autres – s'embrasser faisait partie de leur politique. Ruth faiblit presque, eut presque envie d'appartenir à leur groupe par égard pour leur courage. Mais c'était impossible. Elle appartenait à une autre race. Elle savait que d'ici la tombée de la nuit, l'une d'elles serait en larmes. En l'espace de ces quelques minutes crottées et joyeuses, l'une d'elles tomberait amoureuse, une autre n'aimerait plus, et la plus jolie souffrirait le moins, la plus laide le plus, ici comme partout.

Une dizaine de jours plus tard Ruth reçut une lettre de la clinique de M. Ghengis énumérant les opérations qu'elle devrait subir et donnant les prix approximatifs. Des devis détaillés ne pouvaient s'établir car les processus de cicatrisation variaient d'un individu à l'autre, cela sous-entendait que les chirurgiens ne savaient jamais tout à fait ce qu'ils trouveraient à l'intérieur du corps humain jusqu'à temps d'y arriver. Le papier à lettres était d'un mauve raffiné très pâle et les mots « Clinique Hermione » estampés en or. Cela rappela à Ruth la jaquette de l'un des romans de Mary Fisher – mais avec une garantie médicale. Le papier éveillait l'espoir et inspirait en même temps la confiance. Il réussissait à être à la fois romantique et scientifique.

La clinique Hermione avait l'intention de réduire la mâchoire de Ruth de sept centimètres et demi, relever et affiner les sourcils, abaisser la naissance des cheveux grâce à une greffe de peau, retendre la peau et le pli épicanthique au-dessus de l'œil. Les oreilles seraient redressées et les lobes réduits, à la fois en épaisseur et en longueur.

Elle irait en avion chez M. Roche pour se faire redresser et raccourcir le nez, puisqu'il était le « meilleur chirurgien du nez au monde ». (Son nez, présuma Ruth, constituait sa commission.)

Quant à son corps, la peau distendue sous les bras serait retroussée et la graisse ôtée des épaules, du dos, des fesses, des hanches et du ventre. Si elle insistait pour que l'on diminue la longueur de ses jambes, les épaules seraient ramenées en arrière pour garder les bras en proportion plus harmonieuse avec le reste. Ruth fronça le sourcil en lisant cela.

Elle devait compter au moins deux ans pour aller au bout de ces opérations, quatre si elle désirait voir sa taille réduite. Les changements proposés était radicaux, le corps et l'esprit auraient besoin de temps pour guérir. Il faudrait supporter un peu d'inconfort. (Ruth savait fort bien que ce que les patients ressentent avant une opération les chirurgiens l'appellent douleur, et ce qu'ils ressentent après, inconfort.)

Elle pourrait aller et venir à son gré dans la clinique mais serait souvent contrainte de garder le lit, avant et après les opérations. On établirait un programme plus détaillé peu après son arrivée, à la suite d'un examen physique approfondi.

La clinique joignait une ventilation approximative des honoraires. Les sommes demandées s'élèveraient en gros à 110 000 dollars pour le visage, 300 000 dollars pour le corps et 1 000 000 de dollars pour les jambes. Des spécialistes, ainsi qu'elle le comprenait sans doute, devraient venir en avion des quatre coins du monde. Toutefois, des fondations pour la recherche accorderaient peut-être des subventions qui l'aideraient à payer cette dernière somme.

> « Écrire l'histoire médicale (ajoutait à l'encre M. Ghengis au bas de la troisième page de la lettre) coûte cher. Nous nous occuperons des jambes en dernier, pour donner à la médecine une petite chance de rejoindre les aspirations humaines. Mais vous serez heureuse d'apprendre que l'on a inventé une nouvelle technique pour

raccourcir les veines, par thermo-collage des extrémités. Elle a été testée avec d'excellents résultats sur les chats, mais pas encore sur les humains. »

Ruth lut cette lettre au petit déjeuner, assise toute seule au bout de la table toute tachée du réfectoire, aux pieds mouchetés par le feu. Elle mastiquait bruyamment un bol de muesli, préparé chaque matin par la femme responsable du petit déjeuner. Ce matin c'était Sue, la petite rousse.

– Le muesli est bon ? s'informa Sue. Elle avait un joli visage furieux et des sourcils clairs et droits qui se rejoignaient au milieu comme si une ligne coupait en deux son visage et son caractère.

– Délicieux, répondit Ruth.

– Parfait, dit Sue. Cette semaine j'essaie de nous déshabituer des fruits secs et pas uniquement du sucre. Ce que tu manges, c'est presque des flocons d'avoine purs. On peut y arriver, tu sais. Nous pouvons apprendre à aimer ce qui est bon pour nous. Ce n'est qu'une question d'éducation !

– Je comprends très bien, confia Ruth, d'ailleurs qui voudrait du lait quand cette eau de puits est si bonne !

– Rien d'intéressant dans cette lettre ? demanda Sue, flairant la sédition dans le papier mauve si séduisant et si propre.

– C'est ma mère, répondit Ruth. Ce fut le premier mensonge qui lui vint aux lèvres. Et en effet, elle se souvint que sa mère, il y avait très, très longtemps, répondait aux vœux de Nouvel An sur du papier mauve pâle, parfumé au lilas.

Ruth téléphona à l'agence *Vesta Rose* et on lui passa l'Infirmière Hopkins. L'agence disposait maintenant d'un central téléphonique et les jeunes femmes qui composaient le personnel de l'agence étaient efficaces, très professionnelles et polies.

– Comment vas-tu, ma belle?

– Ma belle, tu m'as affreusement manquée, mais j'ai été si débordée que je ne m'en suis pas rendu compte.

– Une phrase d'homme, souligna Ruth. Comment va le petit garçon? Elle parlait du fils autistique d'Olga.

– Plus si petit et très costaud, se lamenta gaiement l'Infirmière Hopkins.

– Mais dis-moi, toi aussi! admira Ruth.

– Je sais, et je crois que j'ai enfin trouvé la solution au problème. Ils expérimentent un nouveau tranquillisant à Lucas Hill; je peux en obtenir par quelqu'un de chez nous. Ça va tout changer pour l'enfant. J'en suis convaincue.

– Avons-nous quelqu'un à Greenways? C'était le nom de la prison de Bobbo.

– Une des thérapeutes artistiques et la secrétaire du directeur. Pourquoi?

– J'aimerais infiniment rencontrer l'une d'elles.

– J'essaierais plutôt la thérapeute, répondit l'Infirmière Hopkins sans difficulté. Elle a un enfant à la crèche. Elle l'amène aux aurores. C'est un peintre de talent qui essaie d'organiser une exposition de ses œuvres. Elle s'appelle Sarah.

Ruth prit le café avec Sarah dans un bar peu fréquenté. Elle s'informa de l'état de Bobbo.

– Il s'adapte, répondit Sarah, enfin...

– Enfin ?

– Il a été très violent pendant un moment après sa condamnation. Il est paranoïaque, évidemment. Il ne cesse de répéter que quelqu'un a acheté le juge. Je pense vraiment qu'il devrait être à Lucas Hill. La frontière entre la folie et le crime est toujours si ténue.

– Au moins, de Greenways, on en sort, observa Ruth.

– À la longue, reconnut Sarah.

Elle était brune, ronde de visage et belle. Elle buvait du café noir pour ne pas grossir et refusa les croissants. Sarah signala que Bobbo était un peu déprimé ces temps derniers. Elle le devinait aux couleurs qu'il choisissait pour tresser ses paniers en raphia à l'atelier d'art. Elle essayait de lui conseiller des couleurs primaires audacieuses mais il restait fidèle aux marrons foncés et aux kaki. Et puis les visites le bouleversaient.

– A-t-il beaucoup de visites ?

– Une petite femme blonde vient de temps en temps.

– Pas d'enfants ?

– Non. C'est sans doute aussi bien. Ça va assez mal comme ça quand la femme vient. Après, il reste des jours entiers à fixer le vide.

– Alors elle ne devrait peut-être pas venir ! Pourquoi ne lui écrit-il pas de ne pas venir ? C'est comme pour les enfants à l'hôpital, ils s'adaptent tellement plus vite quand les parents ne viennent pas.

Sarah reconnut que c'était une bonne idée. Elle la soumettrait à Bobbo. Ils étaient très proches. Ils trouveraient ensemble quelque chose à la séance de rajeunissement moral du jeudi.

– Ça me paraît une prison très agréable, observa Ruth.

– Très, assura Sarah. Je ne comprends pas pourquoi le taux de suicides y est si élevé !

Ruth écrivit à la clinique Hermione : elle acceptait ses conditions mais souhaitait qu'on lance la demande de subventions. Il n'était jamais bon de laisser croire à quiconque que l'argent ne comptait pas.

Elle dit adieu à son corps – elle ôta ses vêtements dans le vestibule où l'on rangeait les bottes et les souliers et s'examina dans la glace, la seule de la communauté qu'elle ait réussi à trouver. Elle était posée contre un mur, grande, avec un cadre doré dix-huitième. Le miroir était sombre, piqueté, ébréché là où les grosses bottes l'avaient heurté, et une mince fêlure courait d'un bord à l'autre; mais la zone centrale était suffisamment intacte pour lui renvoyer un reflet correct.

Elle regarda ce corps si différent de son caractère et comprit qu'elle serait ravie de s'en débarrasser.

– C'est vrai, lança la petite Sue au visage furieux, la préparatrice de muesli, entrant pour récolter les germes de soja qui poussaient sur une étagère sombre. C'est parfois vraiment formidable d'enlever tous ses vêtements. Tu as un corps de femme si épanoui et vigoureux !

– Je crois qu'il va falloir que je parte d'ici, signala Ruth.

– Mais pourquoi ?

– J'ai besoin d'intimité.

– Pourquoi ? As-tu quelque chose à cacher ? On se sent mieux quand on se confie ! Nous sommes toutes des amies. Nous nous entraidons. Inutile de se regarder dans un miroir, tu sais. Les yeux des autres femmes renvoient le vrai reflet.

Les miroirs ne savent que refléter le corps, pas l'âme, pas l'esprit de la femme. Je n'arrête pas de demander que l'on jette ce vieux miroir dégoûtant, c'est une telle tentation, mais personne ne s'en occupera jamais.

– Il vaut une fortune. C'est une pièce de musée, remarqua Ruth.

À ces mots, Sue ramassa une bêche et la lança sur le miroir qui se brisa. Des tessons tombèrent sur le sol, rebondirent et tintèrent un peu, ce qui arrive quand un miroir de bonne qualité se brise en mille morceaux, s'abat sur le sol puis s'immobilise.

– Et puis nous n'en voulons certainement pas ici, conclut Sue. Les femmes ont été trop longtemps asservies par les biens matériels, par les systèmes de valeurs masculines.

Une foule de femmes arriva pour constater l'origine du fracas – il n'y avait pas de télévision dans la communauté, aussi tout événement fâcheux trouvait un vaste public – et Sue leur révéla la nouvelle du départ de Ruth. Elles s'inquiétèrent pour Ruth.

– Comment peux-tu renoncer, s'exclamèrent-elles, à l'amour, la paix et la joie créative de la féminité pure?

Mais Ruth pensait qu'elle le pouvait, sans aucun mal. Elles lui réclamèrent 27 dollars pour son linge et confisquèrent ses quelques effets personnels – dont un réveil et des gants de jardinage en cuir – en guise de préavis, puis refusèrent de la conduire en voiture à la gare à 5 kilomètres de là. Ruth dut s'y rendre à pied. Elles la regardèrent partir avec des regards hostiles.

Ruth prit un billet de première classe pour Los Angeles et la clinique Hermione. Elle partit par le premier vol. Elle n'avait pas de bagages, sinon quelques livres achetés à l'aéroport. Elle ne voulait rien emporter de son passé. Les quelques numéros de téléphone dont elle aurait besoin étaient gravés dans sa tête.

30

Mary Fisher habite La Haute Tour et le regrette. Elle ne veut vivre nulle part en vérité. En toute sincérité, elle veut être morte. Elle veut ne faire qu'un avec les étoiles et la mer écumante, elle désire que s'éteigne la flamme de sa vie et disparaître pour toujours. Elle est si romantique, même lorsqu'elle est suicidaire.

Le père Ferguson proteste :

– Ceci ne peut pas durer, c'est un péché.

– Je sais, répond Mary Fisher.

Elle croit à l'enfer désormais. Elle y vit déjà et sait qu'elle le mérite. Elle a des relations sexuelles avec un prêtre!

– Tu m'as tenté, accuse-t-il.

– Je sais, se contente-t-elle de répondre. Il jette ses affaires dans son sac en toile et part voir Alice Appleby, dont les romans se vendent à la pelle et dont le visage sérieux et ravissant le regarde du haut des présentoirs à livres absolument partout. Il n'est pas un bon amant. Il a eu si peu d'expérience dans sa vie. Peut-être Alice Appleby fera-t-elle l'affaire.

Mary Fisher reçoit une lettre de Bobbo lui demandant de ne

plus venir le voir. «Tes visites m'empêchent de m'adapter...» Mary Fisher pense que d'une façon ou d'une autre il a découvert la vérité au sujet de Lasso. Elle ne peut s'ôter cette idée de la tête. De ça aussi elle est responsable. Elle cesse d'aller le voir.

Elle se plante devant la fenêtre de La Haute Tour, prête à sauter. Mais comment le pourrait-elle? Elle est piégée par sa conscience, sa nouvelle compréhension des choses, et, en vérité, sa bonté toute neuve. Comment sa mère vivrait-elle la fin de sa vie sans elle, et Andy, et Nicola, qui ne font que débuter dans la leur? Mary Fisher doit être là pour les aimer, parce qu'il n'y a qu'elle pour les aimer, et que peut-être, qui sait, personne d'autre ne les aimera jamais. Et puis quel genre d'exemple donnerait-elle si elle rendait le cadeau de la vie? C'est un témoin dans une course de relais, on doit le passer sinon la course s'arrête. L'amour finira par la tuer, mais à sa façon, à son heure.

Mary Fisher ne se sent pas bien. Elle se regarde dans la glace et remarque que ses cheveux sont clairsemés et son teint terne. Elle a maigri. Quand elle descend au village, elle n'est qu'une femme pressée et vieillissante de plus qui se cramponne à ce qui reste de sa vie. Les regards ne s'arrêtent pas sur elle.

La banque écrit pour l'informer qu'elle est largement à découvert. Elle doit mettre La Haute Tour en vente. Elle ne le regrette pas du tout. Elle signale à Garcia et Joan – les seuls domestiques qui lui restent – qu'elle ne peut plus les payer.

– Vous ne pouvez pas faire ça, proteste Garcia.

– Si, répond-elle en regardant Garcia bien en face. Il baisse les yeux. Elle se demande pourquoi elle a attendu si longtemps pour agir ainsi. De quoi fallait-il avoir peur sinon d'affronter sa propre culpabilité?

– Mais où vivrons-nous? demandent les enfants et la vieille Mme Fisher. Pour une fois ils sont déconfits, gentils et agréables. Comment vivrons-nous?

– Comme tout le monde, répond-elle. Dans une petite maison facile à entretenir, quelque part. Il restera assez d'argent pour ça.

Mais c'est déjà trop tard. Elle est fatiguée, fatiguée. Après le succès vient l'échec. Son corps, qui a remarqué son désespoir, a sauté sur l'occasion, il est retourné au désordre, à l'anarchie. L'épanouissement bien réglé a perdu la tête, s'est affolé. Maintenant les cellules prolifèrent sans but, comme des enfants lâchés en liberté après l'école.

Mary Fisher ressent dans le dos une vilaine douleur qui revient souvent. Elle va voir le docteur. Il l'envoie à l'hôpital pour des analyses. Il ne pense pas que le diagnostic soit bon.

Elle entre à l'hôpital, contre son gré, en disant comme tout le monde : « Mais je ne peux pas y aller. J'ai beaucoup trop à faire. Comment vont-ils tous se débrouiller sans moi? »

Mary Fisher, sans le savoir, est presque heureuse. Le bonheur, s'il existe, c'est le sentiment d'être indispensable.

Des acheteurs potentiels viennent jeter un coup d'œil à La Haute Tour. Les prix immobiliers se sont effondrés et l'essence est chère. Personne ne veut vivre aussi loin de tout. Et puis la paroi de la falaise s'effrite, peut-être tout le bâtiment va-t-il bientôt basculer dans la mer. Le coût pour s'assurer que ça n'arrive pas est exorbitant; on dirait qu'il faut consolider, soutenir et renforcer la nature, rendre la vie supportable.

31

M. Ghengis adorait son travail. Il lui semblait exercer l'un des rares métiers au monde auquel on ne pouvait trouver de défaut. On pouvait juger que le travail social était une façon de soutenir le système, la médecine ordinaire une façon d'enrichir les laboratoires pharmaceutiques, l'enseignement l'asservissement des jeunes esprits et les arts de l'élitisme oisif, les affaires une façon d'écraser les pauvres du monde sous la botte capitaliste, etc., mais la chirurgie esthétique était pure. Les laids, elle les rendait beaux. Transformer le corps humain, l'enveloppe de l'âme, représentait, pensait M. Ghengis, la forme la plus proche qu'avait un homme de connaître la maternité : modeler, façonner, mettre au monde dans la douleur et l'angoisse. C'est vrai, la douleur et l'angoisse n'étaient pas siennes à proprement parler, mais celles de ses patients. Toutefois, il les ressentait. On n'avait rien sans rien.

Il songea qu'il aurait plaisir à travailler avec Marlene Hunter. À ses yeux elle était un énorme paquet à déballer, le genre de paquet que l'on se passait aux anniversaires d'enfants, mal enveloppé par une gentille maman dans des épaisseurs et des épaisseurs de papier chiffonné, ce qu'il y a de plus facile à ouvrir pour des petits doigts maladroits. Le cadeau, le présent! Il était impatient de le découvrir et de recevoir la gratitude de sa patiente.

Il mena en personne Mlle Hunter à sa chambre. Elle était d'une tendre couleur lilas, délicatement parfumée, tout à fait comme le papier à lettres de la clinique. Les goutte-à-goutte, les respirateurs et l'équipement d'un blanc étincelant de la médecine moderne étaient dissimulés sous des housses moelleuses dans un coin discret. De larges fenêtres donnaient sur un désert rouge; au loin se dressaït une falaise, un escarpement. Au premier plan se massait la flore somptueuse et luxuriante que l'on doit à une grande quantité d'eau dans un climat où elle ne vient pas de façon naturelle ni aisée.

– Ça vous plaît? demanda-t-il.

– Ma mère aurait adoré, répondit-elle.

Il pensa qu'il ne lui retendrait peut-être pas les cordes vocales – une voix âpre dans une énorme carcasse pourrait sembler dans un corps plus fragile, rauque, et donc sexy. C'était, avait-il remarqué, l'équilibre entre le masculin et le féminin dans le corps qui attirait.

Mlle Hunter choisit de ne pas se mêler aux autres patients. Elle restait la plupart du temps dans sa chambre à regarder la télévision ou feuilleter des magazines.

– Vous pourriez apprendre une langue étrangère, lui suggéra-t-il, inquiet de son sort.

– Et pourquoi donc?

– Peut-être voudrez-vous voyager, répondit-il étonné. Après. Ça arrive souvent. Pour se montrer sous son nouveau jour.

– Qu'ils apprennent donc ma langue, lança-t-elle.

– Ça vous occuperait, insista-t-il.

Face à elle il se sentait malheureux, il lui semblait être l'esclave de ses désirs et non pas leur maître.

– Dans cette histoire, on attend beaucoup, vous savez. Et puis, se perfectionner l'esprit n'est-il pas une bonne chose, même sans but précis?

– Je suis ici pour perfectionner mon corps, répondit-elle. Mon esprit a toujours été très bien.

Il était son Pygmalion mais elle refusait de dépendre de lui, de l'admirer, de lui accorder sa reconnaissance. Il avait l'habitude d'être aimé par les femmes bâties de ses mains. Un doux soupir d'adoration le suivait le long des couloirs qu'il parcourait, rendant visite ici, bénissant là, promettant un avenir, regrettant un passé; ce soupir amortissait le bruit de ses pas et son image de lui-même. Mais pas un souffle de douceur ne s'exhalait de Mlle Hunter. Eh bien, il l'y amènerait.

Il s'occupa d'abord de son visage. Il rembourra les tissus sous les yeux, juste un peu, et releva le pli qui se trouvait au-dessus; désormais on voyait moins de blanc sous l'iris et plus au-dessus. Ses yeux devinrent soudain ouverts, candides et innocents, et grands par rapport à sa tête. Ils étaient ravissants, comme le sont les yeux des chatons ou les yeux des petits de n'importe quelle espèce – même les crocodiles.

L'assistant de M. Ghengis, le jeune Dr Joseph Black, si hardi et pétulant sur un terrain de base-ball, si sensible et minutieux devant une table d'opération, s'émerveillait devant le visage que Mlle Hunter s'était choisi. Un agrandissement de la photo de Mary Fisher, une de celles fournies par Ruth, était projeté sur le mur de la salle d'opération où ils travaillaient.

– J'ai l'impression de connaître ce visage, remarqua le Dr Black.

Il se rappela où il l'avait vu – où sinon au dos d'un bon nombre de jaquettes de livres dans la bibliothèque de la clinique. Les patientes pourtant n'étaient pas de grandes lectrices, elles feuilletaient des magazines et se plaignaient quand ils étaient périmés. De temps en temps seulement, une ou deux d'entre elles se lançaient dans un roman à l'eau de rose ou un thriller. Mais elles aimaient que les livres soient à leur disposition; sinon elles se sentaient outragées. Elles s'imaginaient de ferventes lectrices, prenant un peu de repos le temps de récupérer.

Quand les yeux de Mlle Hunter eurent cicatrisé, ils lui cassèrent les pommettes et les aplatirent, et quand les ecchymoses eurent un peu diminué, ils coupèrent et modifièrent la ligne du maxillaire. Ils prirent un peu de peau glabre sur son derrière et la greffèrent à la naissance de ses cheveux, reculant ainsi leur implantation pour lui donner un front clair et lisse. Ils tirèrent la peau sous la mâchoire, la tendirent sur les joues et la replièrent. Ils remplirent de silicone les petites rides autour de la bouche et du nez et traitèrent les vaisseaux éclatés au laser. Ils coupèrent les verrues, les poils et le reste, et en profitèrent pour lui remonter les coins de la bouche, si bien qu'elle arborait désormais une expression d'attente délicieuse.

On lui implanta de nouvelles dents, une par une, dans la mâchoire préparée par M. Firth, au moyen d'une méthode si ennuyeuse et douloureuse qu'on l'employait rarement. Le prothésiste qui travaillait d'après la photo de Mary Fisher découvrit que les dents n'étaient pas absolument régulières, mais les imperfections étaient attirantes. Des dents vigoureuses, solides et régulières peuvent effaroucher, on voit qu'elles sont faites pour mordre, plutôt que pour zozoter.

Maintenant le nez surgissait, énorme, crochu et horrible, dans le doux visage de Mlle Hunter. La tête paraissait petite par rapport au corps. C'était prévisible.

Mlle Hunter payait recta tous les mois par chèque. Elle inscrivait le chiffre sans tiquer, même si parfois le moindre geste, si petit fût-il, lui causait une douleur aiguë. On aurait dit qu'elle tenait à ce que l'argent constitue la base de la transaction entre eux, non les soins et le plaisir partagé d'un effort commun. Il en souffrait.

Elle accepta de rentrer en avion dans son pays pour que l'on s'occupe de son nez. M. Roche proposa de prendre l'avion avec elle mais elle répondit non, elle avait des affaires à régler chez elle. Elle partit sur une civière, encadrée par des infirmiers.

Ils rapportèrent ensuite à M. Ghengis que, malgré ses terribles souffrances, elle avait acheté une propriété, un phare délabré au bord d'une falaise dans un coin perdu.

– J'espère qu'après tout ceci elle ne va pas aller cacher ses talents, observa le Dr Black.

– Elle fera ce qu'elle voudra, répondit M. Ghengis. Elle obtiendra ce qu'elle veut. Elle est remarquable.

Ils étaient tous deux presque amoureux d'elle. Ils se l'avouèrent. Ils attendaient son retour avec impatience. Ils ne se fiaient pas à M. Roche pour accomplir le travail convenablement et craignaient qu'il ne se venge sur elle, à la façon dont les hommes jouissant du pouvoir médical se vengent si souvent des femmes qui sont à leur merci – du moins les femmes le prétendent-elles. Ils l'avaient assez souvent entendu raconter. Bien sûr, dans ce domaine ils ne se comptaient pas au nombre des médecins. Le Dr Black avait une petite femme style gavroche qui collectait des fonds pour la sauvegarde des espèces en voie de disparition dans le monde entier, elle était dynamique et directe. Il ne pouvait exercer aucun pouvoir sur elle, expliqua-t-il à M. Ghengis, même s'il l'avait voulu, puisqu'elle préférait les animaux aux humains. Un regard de reproche de son corgi la bouleversait plus qu'un regard de reproche de son mari. Les maris ne manquaient pas là d'où elle venait, ils étaient remplaçables instantanément et en stocks inépuisables. M. Ghengis, évidemment, n'était pas marié. La raison qu'il donna au Dr Black fut qu'il savait qu'un jour ou l'autre il succomberait au besoin de rendre sa femme physiquement plus parfaite et qu'une fois qu'il aurait atteint la perfection, elle ne l'intéresserait plus. C'était le voyage, avec les femmes, qui était agréable. L'arrivée gâchait tout.

Ils discutaient avec devant les yeux un mannequin de Mlle Hunter fabriqué dans une nouvelle substance transparente appelée Flexi-Wax, parcouru de muscles, de veines et d'os en plastique. Ils jouaient avec, serrant la peau ici, en ajoutant là, pour arriver à la perfection. Ils pensèrent qu'il leur faudrait modifier la position des reins pour les placer l'un au-dessus de l'autre et non côte à côte. C'était assez facile. Il suffisait que les organes du corps soient convenablement reliés; leur position ne comptait pas.

Marlene Hunter retourna dans son désert sur une civière avec un petit nez retroussé et des narines délicatement bombées. Le visage n'était qu'une énorme ecchymose et les yeux disparaissaient au fond de deux trous noirs, mais on devinait déjà qu'elle était remarquablement jolie.

– Ne serait-il pas un tant soit peu ordinaire? s'inquiéta le Dr Black.

– Si vous avez été extraordinaire toute votre vie, réfléchit M. Ghengis, devenir tout simplement ordinaire doit être merveilleux.

– Mais nous ne voulons pas en faire une femme semblable à celles qui viennent ici.

– Et pourquoi pas? demanda M. Ghengis qui se flattait de son intuition. Si c'est ce qu'elle veut. Tout ce qu'elle a toujours voulu c'est ressembler aux autres femmes.

En juin ils s'attaquèrent au buste. Ils affinèrent et raccourcirent les omoplates. Ils réduisirent les seins. Ils retranchèrent de la chair des bras et tirèrent la peau en trop à l'intérieur des aisselles. Ils liquéfièrent et éliminèrent la graisse de la bosse de bison qui s'était développée à la naissance de son cou. Puis ils descendirent plus bas. Ils tendirent et tirèrent le ventre, resserrèrent les fesses. En fin de compte ils ne touchèrent pas aux reins. Son cœur battait lentement, puis s'emballait, même durant les périodes qui séparaient les interventions. Son cycle menstruel eut besoin d'un supplément d'hormones pour continuer à fonctionner. Il parut à M. Ghengis et au Dr Black que moins son corps aurait à subir de chirurgie interne, mieux ce serait.

M. Ghengis rétrécit le vagin de Mlle Hunter et tira le clitoris en arrière pour accroître les réactions sexuelles de sa patiente. Ceci mit le Dr Black mal à l'aise.

– J'y vois une ingérence dans le moi essentiel, protesta-t-il.

– Le moi essentiel, ça n'existe pas, riposta M. Ghengis. Il est entièrement non essentiel, entièrement sujet au changement et à la fluctuation, et pour le meilleur le plus souvent.

Il fallait à Mlle Hunter des doses de morphine de plus en plus massives pour apaiser la douleur. Son corps était devenu dépendant du produit, mais son esprit demeurait enthousiaste et produisait les hormones les plus bénéfiques à sa santé générale. Ils la désintoxiqueraient quand le moment serait venu, pas avant. En attendant, sa volonté de guérison était phénoménale.

Elle ne flancha qu'une fois. Elle reçut une lettre de chez elle, ce qui n'arrivait jamais. Elle pleura. Elle resta dans son lit, l'œil terne, les mains ballantes – du moins le peu que l'on pouvait en voir à travers les pansements. M. Ghengis avait récemment pratiqué une série d'incisions très fines entre les doigts et tiré la peau sur le dos des mains.

– Que se passe-t-il? demanda-t-il.

– Une personne de ma connaissance a un cancer, répondit-elle. Elle est mourante à l'hôpital.

– Une personne que vous connaissez bien?

– Je l'ai rencontrée dans une soirée. Nous sommes rentrées dans la même voiture et un soir je suis allée dîner chez elle. C'est tout.

– Elle a dû vous faire une forte impression pour vous mettre dans un tel état.

– Oh, ça oui.

Il proposa à Mlle Hunter, si elle le désirait, de rentrer dans son pays voir son amie avant qu'elle ne meure. Autant accorder à son corps le repos le plus long possible avant de s'attaquer aux jambes.

Mais Mlle Hunter répondit qu'elle ne pouvait pas perdre son temps ou sa vie à rendre visite à l'hôpital et que les opérations des jambes devaient commencer aussitôt. Le temps pressait plus qu'elle ne l'avait pensé; d'ailleurs il ne fallait pas seulement lui raccourcir les jambes, mais aussi les bras. Elle ne tenait pas à ressembler à un gorille.

En fait, couper les bras était un jeu d'enfant comparé à

couper les jambes. Les bras n'avaient pas à supporter le poids du corps. C'était une grande première, sans plus.

– Parlez-lui du prix! suggéra le Dr Black. Dites-lui que ça ne vaut pas la peine.

Mais Mlle Hunter ne se souciait pas de l'argent. Elle s'en servait comme d'un outil pour atteindre ses buts, elle le méprisait. Elle l'avait bien investi en Bourse. Elle avait un agent de change à New York avec qui elle s'entretenait régulièrement au téléphone, elle réussissait des coups magnifiques sur les marchés financiers. Une des standardistes de la clinique, qui écoutait les conversations, avait investi ses maigres économies, quelques malheureuses centaines de dollars, comme Mlle Hunter; maintenant elle possédait un beau portefeuille d'actions à son nom et des centaines de milliers de dollars.

Mlle Hunter croyait, comme nombre de riches nés pauvres, que plus on dépense d'argent plus on en gagne. M. Ghengis et le Dr Black firent venir leur équipe médicale des quatre coins du globe, Mlle Hunter paya sans sourciller. Plus elle payait cher, plus elle semblait heureuse.

Elle était de plus en plus populaire auprès des infirmières et du personnel de la clinique. Ils admiraient son courage et sa beauté. Elle était charmante. C'était plus fort qu'elle. Son visage, tel qu'il émergea des ecchymoses et des boursouflures, était figé dans une expression de douceur. Ses yeux pétillaient, ses longs cils (greffés d'un autre endroit) voilaient toute dureté d'expression, sa voix était rauque et expressive. Hommes et femmes volaient pour la satisfaire, les hommes surtout.

La veille de l'opération des bras, le Dr Black invita sournoisement Mlle Hunter à une soirée chez lui. C'était une réception organisée par sa femme pour recueillir des fonds. Le Dr Black et M. Ghengis espéraient qu'elle produirait un tel effet qu'elle serait ravie de sa nouvelle personne et en resterait là.

– Mais je ne suis pas du genre à sortir dans des soirées, protesta-t-elle tout d'abord. Je ne sais jamais quoi dire.

– Mon Dieu, s'écria le Dr Black. Une femme comme vous n'a rien besoin de dire. Il vous suffit d'être.

Elle continua à soulever des objections. Mme Black téléphona.

– Il faut que vous veniez, assura-t-elle. Une soirée, il n'y a rien de mieux pour le moral. Et c'est pour une bonne cause. Les ours polaires. Les gens pensent que parce que les animaux sont gros ils n'ont pas besoin qu'on les protège, mais c'est tout le contraire. Enfin, vous devez le savoir mieux que personne! Mon mari m'a tellement parlé de vous.

Il y eut un petit silence. Au bout d'un moment Mlle Hunter répondit :

– Je serai ravie de venir, Mme Black.

Un coiffeur travailla plusieurs heures sur la chevelure de Mlle Hunter. Désormais elle ondulait et tombait en une profusion dorée très mode, en boucles et bouclettes qui dissimulaient les vilaines cicatrices. En vérité, les cicatrices de tout son corps dessinaient à peine plus d'un réseau de fines lignes blanches. Elle bougeait encore avec précaution; elle parlait timidement. Il y avait quelque chose de merveilleusement nouveau-né en elle.

– On dirait Vénus à peine sortie de sa conque marine. Ravissante!, avoua le Dr Black à sa femme.

Mme Black s'émerveilla du caractère facilement impressionnable des hommes, fussent-ils médecins. Comme les producteurs du show-biz, ils s'arrêtaient pour admirer bouche bée les stars qu'ils avaient fabriquées de toutes pièces. À ce moment-là, elle aidait à faire entrer dans son jardin une grande cage où dormait un énorme ours polaire bourré de calmants et tout gentil, la mascotte du groupe Sauvons-les-Ours, prêté par les Territoires du Nord.

Mlle Hunter arriva en retard à la soirée. Le jeune chauffeur californien chargé d'aller la chercher dans la limousine mauve pâle de la clinique l'avait emmenée par la longue route panoramique pour lui faire admirer les beautés de la nature. M. Ghengis, rendu vaguement jaloux et craignant que les parties intimes de sa patiente ne soient pas tout à fair cicatrisées, but trop de champagne et embarrassa les autres invités qui appartenaient pour la plupart au milieu médical. C'était une région très prisée pour les cliniques privées. Le terrain était bon marché et les paysages splendides.

– Je suis son Pygmalion, s'écria-t-il. Je l'ai créée et elle est froide, froide! Où est Aphrodite pour lui insuffler la vie? Il scruta la compagnie afin d'y trouver une femme plus belle encore que sa création et ne trouva rien, rien qu'un gros ours polaire avachi dans la cuisine. Il reprocha à Mme Black d'avoir laissé sortir l'animal de sa cage, mais Mme Black jura ses grands dieux que l'animal n'était pas méchant.

– Seul l'homme est abominable, lança Mme Black avec feu. Si nous laissons cet animal tranquille, il nous laissera tranquille.

Mlle Hunter et l'ours devaient être les vedettes de la soirée et Mlle Hunter n'était toujours pas arrivée. D'après les comptes rendus de ce qui se passait à la clinique, elle s'attendait à voir surgir une version féminine du monstre de Frankenstein, les plaques de son crâne vissées avec des boulons en fer. Mme Black traitait souvent son mari de Frankenstein au petit déjeuner ou juste avant de dormir. « Bonne nuit, Frankenstein. » Ils s'étaient mariés dans un élan idéaliste, elle pour sauver les animaux sauvages de la planète, lui pour anéantir la maladie humaine. Maintenant ils habitaient une maison aux tentures lilas et aux fenêtres panoramiques donnant sur le désert, lui passait sa vie à défier la nature, leurs enfants mangeaient des aliments roses, comme tout le monde, et les races humaine et animale allaient à vau-l'eau.

Mlle Hunter entra. Les têtes pivotèrent. Mme Black s'avança pour l'accueillir. Son invitée était vêtue de lamé or, d'une façon que Mme Black – qui dans les soirées portait des jeans de grands couturiers et des chemisiers en voile – trouvait personnellement déplaisante. La robe moulait son corps jusqu'aux hanches, puis s'évasait, tombant d'une manière surprenante jusqu'à des pieds plutôt grands. Un petit boléro en fourrure et une ou deux bretelles dorées sur les épaules et les bras servaient à couvrir les cicatrices, mais seules les personnes dans le secret pouvaient s'en rendre compte, se dit Mme Black. Mlle Hunter rappelait à Mme Black une illustration d'un des vieux *Esquires* de sa jeunesse, revenue à la vie – un impossible fantasme masculin fait chair.

Mlle Hunter déclara qu'elle avait un peu froid ; elle garderait sa fourrure. Sa voix était agréablement rauque. L'écart entre ses seins était large, ils étaient à hauteur d'yeux pour les petits. Les hommes la dévoraient du regard, s'assemblaient autour d'elle et la dévoraient encore du regard, les plus hardis cherchaient à l'attirer dans un coin et à lui donner des rendez-vous qu'elle refusait en répondant avec douceur qu'elle était provisoirement sur la touche, qu'ils ne devaient ni le prendre mal ni être jaloux. Mais ils le prenaient mal et ils étaient jaloux.

Mme Black lança au Dr Black :

– Elle est une insulte à la féminité. Qui plus est, elle ressemble à n'importe qui, en plus grand c'est tout et, à ce qu'on dit, même plus pour longtemps. Toi et tes amis n'êtes pas des médecins. Vous êtes des réducteurs.

– C'est ce qu'elle voulait, répondit le Dr Black.

– Je suppose qu'elle a pensé : à défaut de les vaincre, ressemblons-leur, observa Mme Black.

– Je préférerais ne pas en parler, lança le Dr Black d'un ton sec. Tu as devant les yeux l'histoire médicale en marche mais évidemment ça ne te fait ni chaud ni froid. J'aimerais que tu remettes cet ours dans sa cage.

– Si tu laisses cet ours tranquille, riposta Mme Black, il te laissera tranquille.

M. Ghengis tournait autour de Mlle Hunter comme il arrive qu'un sculpteur tourne autour de son œuvre achevée. Tout fonctionnait. Ses yeux étincelaient et pétillaient, ses lèvres étaient humides. Elle leva une coupe de champagne, but à petites gorgées. Il savait que sa mâchoire continuait à la faire souffrir au moindre mouvement mais qu'elle était trop fière, trop obstinée, pour montrer sa souffrance. Simplement, de temps en temps, elle avait coutume de laisser échapper un petit bruit, mi-grognement mi-soupir, la même petite inspiration-expiration qu'une femme chagrine pourrait faire entendre pendant l'amour, un bruit de douleur et de soulagement associés qui semblait à la fois tiré d'un passé effroyable et rappelé d'un avenir sacrilège.

Les grandes fenêtres étaient ouvertes, les tentures remuaient dans l'air chaud de la nuit. Il l'aimait. Elle ne lui serait jamais reconnaissante. Il avait cessé d'attendre sa reconnaissance. Il l'avait faite comme une mère fait un enfant, de façon désintéressée. Mais tout enfant dont l'éducation est réussie ne se soucie pas de ses parents.

– Il faudra que vous m'épousiez, lui déclara-t-il. Il faudra que nous ayons des enfants.

– Mais je ne veux pas d'enfant, protesta-t-elle. Je suis occupée par le présent, non par l'avenir.

Le Dr Black, surprenant la demande en mariage et estimant que son collègue prenait un avantage injuste, ne fût-ce qu'en abusant de sa situation de célibataire, se vexa et essaya de frapper M. Ghengis. Il ne réussit qu'à faire tomber les lunettes de celui-ci et à s'écrouler dans le curry végétarien et la salade de pois chiches aux noisettes. Un autre invité, reculant en hâte devant les bouteilles et les verres qui se fracassaient par terre, piétina les lunettes de M. Ghengis et les réduisit en mille morceaux.

Cette bruyante hostilité réveilla l'ours de son hébétude. Il se mit debout et fit une embardée dans un placard de cuisine, le renversa et répandit sur le sol des kilos de farine complète et de riz brun. Il fouina par là un petit moment avant de s'appuyer contre la porte de service. Elle s'ouvrit sous son poids et il s'éloigna dans la nuit en traînant les pieds, ignorant la porte ouverte de sa cage, qu'il était normalement censé considérer avec affection comme son chez lui.

Les invités paniquèrent et hurlèrent. « Il ne vous fera aucun mal! » cria Mme Black, mais l'un d'eux insista pour appeler la police.

La police arriva et proposa d'organiser une battue pour retrouver l'animal, que l'on abattrait à vue. Depuis le début de son tour des États-Unis, signalèrent les policiers à Mme Black et à ses invités, il avait tué quatre chiens, mutilé deux enfants, gravement mais pas mortellement, et endommagé des biens évalués à un quart de million de dollars.

Mme Black, qui avait espéré collecter des fonds un peu plus tard dans la soirée, comprit que ses efforts seraient désormais vains, que la réception qu'elle n'avait jamais eu envie de donner était un désastre. Les invités partaient déjà avec cette politesse qui annonce les ricanements et les ragots du lendemain. Seule Mlle Hunter, évidemment, s'attarda.

– Vous devez être satisfaite maintenant, disait le Dr Black à sa poupée blonde et minaudière montée sur échasses. Les hommes se battent pour vous. Ne touchez donc pas à vos jambes. Vous êtes belle, on vous aime, vous pouvez aller à une soirée et provoquer des catastrophes, vous êtes une vraie pin up. Le rêve de l'homme d'affaires au front dégarni. Nous diminuerons les cuisses et affinerons les mollets bien sûr, mais ayez pitié de nous, ne nous demandez pas de nous en prendre aux os. Il n'est pas trop tard. Nous pouvons congédier notre équipe. Il faut que vous compreniez, c'est risqué. Vous pourriez en mourir.

Mlle Hunter considéra le Dr Black et secoua la tête.

– Vous êtes un vilain, vilain petit garçon de casser comme ça les lunettes de M. Ghengis, lança-t-elle, et sa voix ressembla à celle qu'avait Mary Fisher il y avait bien longtemps.

– Il en a une autre paire, riposta le Dr Black au bord des larmes.

Mlle Hunter, au nez et à la barbe de Mme Black, lui fit signe de sortir avec elle sur le balcon où ils s'assirent et s'enlacèrent, comme si Mme Black n'existait pas, sous le dais de velours de la nuit auquel les étoiles pendaient comme des lanternes. Ainsi se serait comportée Mary Fisher, autrefois.

Mme Black, qui lavait des verres, résolut de ne plus jamais, jamais donner de réception, de divorcer et la prochaine fois d'épouser un homme sans hypocrisie, peut-être un militaire, qui comprendrait combien il était plus agréable de tuer et de mourir loyalement pour une cause plutôt que d'essayer de vivre éternellement dans le cadre de l'individuel et du dérisoire. Au bout d'un moment le Dr Black raccompagna Mlle Hunter à la clinique, mais pas avant d'avoir accusé Mme Black de s'être montrée d'une grossièreté impardonnable envers son invitée.

32

La Haute Tour est vide et silencieuse, il n'y a que le vent qui bruit du haut en bas des escaliers et traverse le grand espace vide où autrefois se dressait la grande porte d'entrée à laquelle Ruth vint frapper; les dobermans aboyèrent et le traître Garcia ouvrit; la fin commença. Le vent sort par une ou deux vitres cassées. Des marchands de passage ont enlevé la porte et des gamins qui traînent par là jettent des pierres dans les fenêtres. Une maison vide ça ne plaît à personne. Pourquoi? C'est un reproche à l'élan vital. Le délabrement amène l'abandon et vice versa. Personne ne croit vraiment à l'affichette «Vendu» collée sur le panneau qui dit «À Vendre». La tour est perchée à l'extrême bord de la falaise, et la falaise s'éboule. Soit la falaise a reculé, est sortie de la mer, soit la tour a avancé vers elle. Ça suffit pour donner des angoisses à n'importe qui.

Des souris vont et viennent d'une pièce à l'autre et les puces, après le départ de la chatte et des chiens, ont fait un moment danser et bondir les vieux tapis. Mais maintenant elles ont abandonné le terrain, elles sont parties. Des limaces mènent un joyeux ballet sur les dalles de pierre de la cuisine.

C'était peut-être mieux avant. Peut-être qu'il n'y a rien de pire que la paix.

Mary Fisher traîne encore à l'hôpital. Elle a perdu ses cheveux à cause du traitement. Garcia et Joan sont partis avec leur bébé, le trou dans son cœur réparé avec les derniers sous de Mary Fisher. Ils sont allés vivre en Espagne avec la mère de Garcia, pour embellir ses vieux jours. Nicola vit au village avec le prof de sciences de son lycée, une certaine Lucy Barker. Nicola n'aime que les femmes. Andy est devenu mécano. Son patron l'a recueilli chez lui par bonté d'âme. Andy est impossible à distinguer des garçons du village, il traîne aux coins des rues et soupire vaguement après une vie qu'il ne connaîtra jamais.

J'ai visité La Haute Tour quand je suis venue me faire refaire le nez. J'ai traversé le village dans ma Rolls-Royce et par hasard j'ai aperçu Andy, émergeant constellé de cambouis de sous une voiture. J'ai reconnu mon fils, je n'ai rien ressenti. Il ne m'est rien. J'ai aussi attendu devant la maison qu'habite Nicola et je l'ai vue apparaître, elle a la moue de Bobbo et ma carrure. Elle erre et titube; une morne satisfaction émanait d'elle. Elle ne fera jamais une diablesse. Mes enfants ont été à nouveau aspirés dans l'océan de l'humanité ordinaire, emportés et noyés par un tourbillon, et sont retournés à leur monde. Ils sont insignifiants et j'imagine, plutôt satisfaits.

La vieille Mme Fisher, contrainte de se prendre en charge, se débrouille à merveille, mieux que sa fille, ce qui a toujours été son ambition. Elle vit dans la région où elle est née, toute seule, et s'en sort fort bien. Elle rend visite à sa fille une fois par semaine. Les infirmières qui la voient arriver, puante, en se dandinant, la craignent. Elle secoue la tête au-dessus de sa fille et insinue que sa maladie est le salaire du péché. Mary Fisher sourit et caresse la vieille main qui l'a bercée autrefois. L'infirmière chef du pavillon est une femme mûre qui a fait ses premiers pas dans le monde, lorsqu'elle en a eu terminé avec le mariage et la maternité, grâce à l'agence *Vesta Rose*. Elle aime beaucoup Mary Fisher. Elle s'en occupe bien.

Mary Fisher ne reçoit pas de visite de Bobbo, quoiqu'on le laisserait très certainement sortir pour convenance personnelle (elle se meurt) s'il le demandait. Il ne veut plus entendre parler d'elle. Il l'aimait et l'amour a échoué. Mais il le reproche à Mary Fisher, pas à l'amour, comme il le devrait.

Je me tiens au pied de La Haute Tour. Je regarde la mer au loin, qui est si indifférente à l'influence humaine, et puis la terre, les champs et les collines, qui ne le sont pas et qui s'habillent des beautés que les regards humains leur accordent. Mary Fisher, en perdant ce paysage, a augmenté son charme. Je le sais, je l'ai toujours su. Comment M. Ghengis et le Dr Black auraient-ils pu me donner la beauté, sinon grâce à l'amour?

Je rebâtirai La Haute Tour. J'arracherai les touffes d'herbe qui poussent maintenant entre les pavés. Je consoliderai la falaise, mais je regarderai surtout vers la terre et non vers la mer. Je regarderai, comme Mary Fisher regardait de la fenêtre de sa chambre, assise dans son lit après une nuit d'amour avec son Bobbo – mon Bobbo –, le soleil du matin tout neuf étinceler sur les collines, les vallées et les arbres, et je saurai, comme elle, que c'est magnifique; ce sera là ma façon de la remercier, tout le chagrin que j'ai à lui offrir. C'est une femme – elle a embelli le paysage. Les diablesses ne peuvent rien embellir, sinon leur personne. En fin de compte, c'est elle qui gagne.

33

Le soir de la réception où l'ours s'échappa, Ruth revint dans sa chaste chambre à la clinique et refusa d'y laisser entrer le Dr Black. Mme Black, déclara Ruth avec un rien de condescendance, serait contrariée si son mari tardait trop.

Ruth ferma les yeux et s'endormit, bercée par la douce pensée que l'avenir d'une jolie femme se résumait à repousser les hommes plutôt qu'à se soumettre à leurs désirs – ou plutôt, qu'à attendre en vain leurs avances. Elle prendrait le meilleur dans ces deux mondes, le ciel et l'enfer. Elle dormit bien. Elle n'entendit pas les cris et les coups de feu de la police qui traquait, cernait et massacrait l'ours tout au bout de la propriété de la clinique, dans le joli coin ombragé où les herbicides, les engrais, les insecticides et l'eau montée à la pompe avaient créé une oasis de verdure étourdissante et luxuriante, où les patientes au visage lifté adoraient venir offrir leurs traits meurtris aux taches du soleil qui filtrait à travers le feuillage.

C'était la dernière fois que Ruth dormirait profondément avant de longs, longs mois. L'inconfort décrit par ses médecins s'avéra une douleur aiguë. Des doses toujours accrues de morphine et les tranquillisants les plus puissants embrumèrent son esprit mais ne purent couper le contact entre sensation et réaction. Elle ne désirait pas, en fait, être libérée de la douleur – la douleur, elle le savait, était le facteur de guérison. Elle marquait la transition entre son ancienne et sa nouvelle vie. Ruth devait l'endurer maintenant pour être libre après. Dans la plupart des existences, la souffrance traîne en longueur, un pincement par-ci, un peu d'inconfort par-là, sans se presser, elle se distribue sur toute une vie. Ruth la subirait une fois pour toutes. Elle se rendait compte, cependant, que cette souffrance risquait au passage de la tuer, tant son pouvoir et son champ d'action étaient concentrés.

Elle hurlait la nuit, parfois. À la clinique on gardait les comprimés sous clé et les vitrines étaient garnies d'une élégante dentelle de barreaux métalliques. Ses jambes plâtrées ne l'auraient pas menée bien loin, mais on ne savait jamais. Elle n'était pas, avaient-ils fini par conclure, une femme ordinaire. Si elle ne pouvait pas se servir de ses jambes, peut-être déciderait-elle de marcher sur les mains?

Il y eut un tremblement de terre, un vilain grondement, la croûte terrestre était pressée de craquer le long de sa ligne de faiblesse, la faille de San Andreas. Cela se passa le lendemain de la grosse intervention sur les fémurs – on dut rebrancher le respirateur artificiel sur le groupe électrogène de secours. Ils crurent la perdre pendant les quelques secondes que dura la panne. Ruth observa leur pâleur, leur affolement. Quand elle put parler elle déclara :

– Il n'y avait pas de quoi s'inquiéter. Un acte de Dieu ne me tuera pas.

– Pourquoi pas? demanda M. Ghengis. Je n'imagine pas qu'Il soit de votre côté.

– Il doit se battre avec le diable, souffla Ruth, avant de perdre à nouveau connaissance.

M. Ghengis la supplia de se contenter de six centimètres en moins aux fémurs mais elle se montra inflexible.

Un violent orage électrique, la veille de la deuxième grosse intervention, fit à nouveau sauter les plombs. De tels orages n'avaient rien d'inhabituel dans la région. Brutal obscurcissement du jour, nuages tournoyant avec violence dans l'obscurité anormale, trouées de lumière soudaine et aveuglante. Celui-ci fut, de façon inhabituelle, un orage sec. La pluie ne tomba pas après pour réjouir le cœur, dans le soudain bourgeonnement de vert et la griserie générale que l'on pouvait attendre pour compenser la terreur passée.

– Dieu est en colère, s'alarma M. Ghengis soudain effrayé et rêvant de revenir à la mécanique. Vous Le défiez. Je voudrais pouvoir arrêter toute cette histoire.

– Bien sûr qu'Il est en colère, répondit Ruth. Je me recrée.

– Nous vous recréons, corrigea-t-il d'un ton amer, et selon l'une de Ses plus faibles et plus absurdes images, qui plus est.

Il avait fini par détester la photo de Mary Fisher.

Les électriciens travaillèrent toute la nuit à vérifier les circuits actionnant les pompes, les manettes et les valves qui pouvaient imiter, du moins de façon provisoire, organe par organe et non comme un tout, les fonctions du corps humain.

– La seule chose que nous ne puissions contrôler, confia M. Ghengis, c'est l'étincelle, la petite étincelle de vie. Mais nous y travaillons. Et évidemment, le temps.

– Vous allez souffrir des jambes jusqu'à la fin de vos jours, la prévint M. Ghengis pour la dernière fois. Vous devrez suivre un traitement anti-coagulant, il y aura toujours un danger de thrombose, et Dieu sait comment tiendront les artères raccourcies – vous aurez probablement des spasmes musculaires. Vous êtes folle.

Ce matin-là elle reçut un rapport financier de ses conseillers.

– Alors je suis une multi-milliardaire folle, répondit-elle, et vous ferez ce que je vous dirai.

Des journalistes médicaux, du genre de ceux qui écument les cabinets de consultation en quête de greffes plus bizarres les unes que les autres, et les laboratoires en quête de chiens à deux têtes et de souris géantes, se rassemblèrent autour de la clinique. Mais Ruth avait fort bien brouillé la piste; ils ne purent rien découvrir à son sujet, ni sa nationalité, ni sa situation familiale, ni son âge. C'était une femme qui voulait devenir plus petite, ils n'en savaient pas plus. Ils volèrent les dossiers de la clinique mais ne trouvèrent pas d'informations sur Marlene Hunter. Un foisonnement d'articles et de chroniques parut sur la taille, son rôle dans le caractère et la formation de la personnalité, sur les hommes petits qui devenaient généraux et les femmes grandes qui ne devenaient rien du tout, et sur ce qui comptait le plus, la beauté ou la personnalité. Comment les chiens finissaient par ressembler à leurs maîtres, les maris et les femmes l'un à l'autre, les enfants adoptés aux parents adoptifs. Ces faits, on en débattait, puis on les mettait de côté car personne n'y pouvait rien. Le monde cessa de s'y intéresser.

Ruth planait, gémissante, à la dérive, entre la vie et la mort. Un nouvel orage électrique parut lui réinsuffler la vie, la foudre s'abattit sur l'antenne TV de la clinique et la panne dura six heures. Ruth ouvrit les yeux à la première déflagration et pendant les quelques heures qui suivirent sa température revint à la normale, sa tension artérielle s'éleva, son cœur se calma, elle s'assit dans son lit et demanda à manger. On entendit le Dr Black, qui avait abandonné l'image de Vénus dans sa conque depuis que Ruth l'avait repoussé, parler d'elle comme du monstre de Frankenstein à qui il fallait la foudre pour s'animer et se mettre en marche. On présuma que c'était M. Ghengis qu'il traitait de Frankenstein, et non lui; les relations entre les deux hommes s'étaient récemment détériorées.

Il fallut neuf mois à Ruth avant de pouvoir faire un pas. M. Ghengis désirait attendre encore trois mois avant de s'attaquer aux bras mais elle insista pour ne plus surseoir. Elle commençait, déclara-t-elle, à s'ennuyer.

Elle était revenue sur sa décision et pendant sa convalescence avait appris le français, le latin et l'indonésien. Elle s'était offert des cours de littérature mondiale et de critique d'art. Elle avait fait toutes les choses raisonnables que les patientes de M. Ghengis se promettaient de faire une fois clouées au lit avec du temps devant elles, mais ne faisaient presque jamais. Elle avait été la cause d'une tentative de suicide, celle d'une jeune infirmière stagiaire dont le petit ami médecin s'attardait trop longtemps dans la chambre de Ruth.

Ruth reçut une lettre de son pays, bordée de noir. Elle venait de Garcia. Cette fois-ci elle ne pleura pas, elle sourit.

– Mon amie est morte, dit-elle. Vive mon amie.

Elle prit l'avion pour assister à l'enterrement. Elle se servait encore du fauteuil roulant, mais chaque jour réussissait à faire un ou deux pas de plus et à utiliser ses mains avec plus d'aisance. Deux de ses doigts étaient devenus insensibles, les cicatrices des jambes et des bras se voyaient encore. L'hiver était là, c'était sans importance. Elle était assez riche, de toute façon, pour suivre l'hiver tout autour du monde, si ça lui chantait. Elle mesurait 1 mètre 69 – tour de buste 95 centimètres, tour de taille 60 centimètres, tour de hanches 93 centimètres. Des injections de cortisone, pratiquées à intervalles réguliers, donnaient à son joli visage une naïveté enfantine, inversant la dureté de son expérience, et conservaient leur luxuriance à ses cheveux.

Ruth alla à l'enterrement de Mary Fisher vêtue de soie noire et couverte de diamants. Elle s'y rendit en Rolls-Royce et regarda l'enterrement de loin, assise dans la voiture. Le cimetière se trouvait au bord de la mer, le vent plaquait des embruns sur les vitres et faisait ravaler ses paroles au pasteur. Une poignée de gens, quelques vieux amis et anciens collègues, regardaient dans le vide et tendaient l'oreille. La vieille Mme Fisher, toujours curieuse, s'approcha de la voiture de Ruth pour mener sa petite enquête, scruta à travers la vitre avec des yeux chassieux et fit signe à Ruth d'ouvrir sa fenêtre. Ruth s'exécuta gentiment, grâce à une simple pression sur un bouton.

– J'ai cru un instant que c'était elle, avoua la vieille Mme Fisher. Ça serait bien son genre d'envoyer son fantôme à son enterrement! Pauvre petite garce. Enfin, sortie de la boue, elle retourne à la boue. Mais elle est partie la première! Je l'avais parié.

Elle s'éloigna, les épaules voûtées, luttant contre le vent, vers la tombe de sa fille. Il sembla à Ruth qu'elle pleurait.

Nicola et Andy n'étaient pas là. Après tout, ils n'étaient pas sa chair et son sang. Et Mary Fisher n'avait-elle pas détruit leur foyer, leur mère et leur père? Certes Mary Fisher avait fait amende honorable, mais ces choses-là, ça ne se répare pas.

Bobbo était présent, entre deux gardiens. Sans menottes; de toute évidence c'était inutile. Ses paupières s'étaient alourdies, ses cheveux étaient devenus gris. Il marchait comme un somnanbule, incapable de comprendre le sens de la tombe ouverte, ni de grand-chose d'autre. Il aperçut Ruth au bras de son chauffeur.

– Qui êtes-vous? demanda-t-il.

– Je suis ta femme, répondit-elle, et elle le fixa de ses yeux jeunes et ravissants, le gratifia de son nouveau sourire adorable.

– Ma femme est morte, lança-t-il, il y a longtemps.

Il parut vouloir s'éloigner et fit volte-face, mais les gardiens le saisirent chacun par un bras, conscients de son brusque entrain, et le retinrent si bien qu'il n'eut pas le choix, il dût la regarder à nouveau.

– Vous êtes ma femme, dit-il. Désolé. Je crois que j'ai des troubles de mémoire. Mais il y avait quelqu'un qui s'appelait Mary Fisher. Ce n'est pas vous?

– Nous sommes à l'enterrement de Mary Fisher, précisa l'un des gardiens, comme s'il s'adressait à un enfant. Voyons, ça ne peut pas être Mary Fisher.

Ils s'excusèrent auprès de Ruth et emmenèrent leur prisonnier, désormais tout à fait perturbé. Il lui fallait, pensaient-ils, encore des calmants. En fait, on le soignait pour dépression, aux électrochocs.

Bobbo se réjouit de partir. Le monde extérieur grouillait toujours de rêves et l'entraînait sans cesse dans un tourbillon de visions et de cauchemars. La prison au moins était réelle et sans danger.

Ruth engagea de bons avocats qui entreprirent d'obtenir la libération de Bobbo. Elle pensa d'abord à rendre les fonds détournés mais changea d'avis. Des hommes sereins et de bonne intention composaient la commission de mise en liberté conditionnelle – ils ne se préoccupaient pas plus d'argent que Ruth de mérite abstrait. Bobbo serait libéré bien assez vite.

Elle engagea des architectes et des maçons, des menuisiers, des plâtriers, des plombiers, pour restaurer La Haute Tour. Des ingénieurs en construction mécanique, en consolidant la falaise, avaient réussi à modifier très légèrement la configuration du port; la force des vagues ne s'attaquait plus à la tour. L'heure du thé serait moins spectaculaire mais plus sûre. Elle engagea un paysagiste et une poignée de jardiniers à la journée pour rendre sa beauté à la propriété. Elle les paya bien. On replaça la porte d'entrée – l'architecte dénicha une épaisse porte de chapelle qui convenait bien et avait belle allure. Elle rechercha et ramena les dobermans et fit châtrer les deux bêtes. L'âge les avait bien assagis. Elle écrivit à Garcia, lui demandant d'envisager de revenir travailler à la tour.

Quelques temps après, une lettre de Garcia arriva, il acceptait l'offre d'emploi de Mlle Hunter. Il viendrait sans femme et sans enfant car ceux-ci resteraient en Espagne pour tenir compagnie à sa vieille mère.

Ruth retourna à la clinique Hermione terminer sa physiothérapie et subir quelques petits réglages. On s'occupa d'un ongle incarné, des vaisseaux éclatés sur les joues nécessitaient quelques retouches au laser, les verrues sur le visage tentaient à toute force de réapparaître.

– Première arrivée, observa M. Ghengis, dernière partie.

Le Dr Black avait donné sa démission. Mme Black et lui partaient pour le Tiers-Monde, lui pour travailler parmi les déshérités, elle parmi les crocodiles.

– S'il veut gâcher les talents que le ciel lui a accordés pour accomplir les tâches qu'une simple infirmière en formation pourrait accomplir, remarqua M. Ghengis, grand bien lui fasse.

Il sembla à Ruth que le temps était enfin venu de retourner à La Haute Tour. Elle pouvait marcher avec aisance et même courir un peu. Elle pouvait soulever un poids d'un kilo dans chaque main. Ses problèmes circulatoires étaient résolus. Elle n'avait plus besoin de la clinique Hermione. Elle n'avait plus besoin de personne. Elle dansa avec M. Ghengis dans la rosée du matin tandis que le soleil se levait, rouge et rond au-dessus de l'escarpement et, à chaque pas, elle eut l'impression de poser les pieds sur des poignards. Elle le remercia de lui avoir donné la vie et lui annonça son départ.

34

Désormais j'habite La Haute Tour, et la mer enfle en dessous, la lune décrit des cercles et la terre tourne, mais plus tout à fait comme avant. Garcia est chargé de nettoyer les fenêtres qui sont d'un modèle différent – les embruns s'abattent autrement; il s'en émerveille. Même la nature se soumet à ma convenance. Je lui paie le même salaire que sa précédente patronne. Ce qui autrefois était trop est désormais trop peu, l'inflation en a grignoté la valeur, mais il ne s'en rend pas compte et je ne lui ai rien dit. Pourquoi le devrais-je? Pour garder des domestiques, il faut les traiter sans ménagement. Idem pour les amants.

Garcia monte souvent jusqu'à ma chambre la nuit, il frappe à la porte et murmure des mots d'amour. De temps à autres je lui ouvre. Je m'arrange pour que Bobbo le sache et souffre, c'est l'unique plaisir que me donne le corps de Garcia. M'unir à lui est un acte politique, non pas sexuel, en tout cas pour moi sinon pour lui. Ce que les hommes peuvent être sensibles!

Bobbo m'aime, pauvre être perturbé qu'il est devenu, il me sert le thé, prépare mes cocktails, va chercher mon sac. Après tout il nous a toutes les deux dans la même peau – celle dont il s'est débarrassé et celle dont il n'a jamais eu besoin. Deux Mary Fisher. Ses yeux se ternissent, il paraît déjà un vieil homme. L'humiliation a fait son œuvre. On pourrait remédier à ses paupières alourdies, bien sûr la chirurgie esthétique pourrait lui rendre sa jeunesse, mais il faudrait qu'il me demande de l'argent. J'attends qu'il le fasse, mais il s'en garde bien. Ce que les gens sont faibles! Ils acceptent ce qui arrive sans broncher, comme si le destin ça existait, comme s'il ne s'agissait pas simplement de prendre sa vie à bras le corps.

J'autorise parfois Bobbo à coucher avec moi. Ou j'amène mes amants devant lui. Quel délicieux émoi cela provoque dans la maisonnée! Même les chiens boudent. Je fais souffrir Bobbo autant qu'il m'a fait souffrir, même plus. J'essaie de m'en empêcher, mais ce n'est pas une question d'homme ou de femme après tout, ça ne l'a jamais été, simplement une question de pouvoir. J'ai tout, il n'a rien. Telle que j'étais, il est désormais.

Bon. La vie est très agréable. Le matin je reste assise dans mon lit à contempler le paysage. Certains prétendent que je l'ai massacré avec mes boqueteaux artificiels, mes bassins à fontaine de granit pour les poissons et le reste, mais moi ça me plaît. La nature s'en sort beaucoup trop bien. Elle a besoin d'être dominée. J'ai beaucoup d'amis. J'invite beaucoup, je suis charmante, mes soirées pétillent toujours. La nourriture est une merveille. Il y a du saumon fumé et du champagne pour ceux à qui ça plaît – moi j'ai des goûts plus orientaux, plus exotiques.

Je me suis essayée à écrire un roman et je l'ai envoyé aux éditeurs de Mary Fisher. Ils voulaient l'acheter et le publier, mais j'ai refusé. Il me suffit de savoir que j'en suis capable, si je le veux. Ce n'était pas si difficile, après tout, ni si extraordinaire.

Je suis une dame d'un mètre quatre-vingt-dix à qui l'on a raccourci les jambes. La vie est une farce, une farce sérieuse.

IMPRIMERIE BRODARD ET TAUPIN À LA FLÈCHE
DÉPÔT LÉGAL FÉVRIER 1991. N° 12966 (6892D-5)

Collection Points

SÉRIE ROMAN

DERNIERS TITRES PARUS

R152. L'Enfant du cinquième Nord, *par Pierre Billon*
R153. N'envoyez plus de roses, *par Eric Ambler*
R154. Les Trois Vies de Babe Ozouf, *par Didier Decoin*
R155. Le Vert Paradis, *par André Brincourt*
R156. Varouna, *par Julien Green*
R157. L'Incendie de Los Angeles, *par Nathanaël West*
R158. Les Belles de Tunis, *par Nine Moati*
R159. Vertes Demeures, *par Henry Hudson*
R160. Les Grandes Vacances, *par Francis Ambrière*
R161. Ceux de 14, *par Maurice Genevoix*
R162. Les Villes invisibles, *par Italo Calvino*
R163. L'Agent secret, *par Graham Greene*
R164. La Lézarde, *par Edouard Glissant*
R165. Le Grand Escroc, *par Herman Melville*
R166. Lettre à un ami perdu, *par Patrick Besson*
R167. Evaristo Carriego, *par Jorge Luis Borges*
R168. La Guitare, *par Michel del Castillo*
R169. Épitaphe pour un espion, *par Eric Ambler*
R170. Fin de saison au Palazzo Pedrotti, *par Frédéric Vitoux*
R171. Jeunes Années. Autobiographie 1, *par Julien Green*
R172. Jeunes Années. Autobiographie 2, *par Julien Green*
R173. Les Égarés, *par Frédérick Tristan*
R174. Une affaire de famille, *par Christian Giudicelli*
R175. Le Testament amoureux, *par Rezvani*
R176. C'était cela notre amour, *par Marie Susini*
R177. Souvenirs du triangle d'or, *par Alain Robbe-Grillet*
R178. Les Lauriers du lac de Constance, *par Marie Chaix*
R179. Plan B, *par Chester Himes*
R180. Le Sommeil agité, *par Jean-Marc Roberts*
R181. Roman Roi, *par Renaud Camus*
R182. Vingt Ans et des poussières
par Didier van Cauwelaert
R183. Le Château des destins croisés, *par Italo Calvino*
R184. Le Vent de la nuit, *par Michel del Castillo*
R185. Une curieuse solitude, *par Philippe Sollers*
R186. Les Trafiquants d'armes, *par Eric Ambler*

R187. Un printemps froid, *par Danièle Sallenave*
R188. Mickey l'Ange, *par Geneviève Dormann*
R189. Histoire de la mer, *par Jean Cayrol*
R190. Senso, *par Camillo Boito*
R191. Sous le soleil de Satan, *par Georges Bernanos*
R192. Niembsch ou l'immobilité, *par Peter Härtling*
R193. Prends garde à la douceur des choses *par Raphaële Billetdoux*
R194. L'Agneau carnivore, *par Agustin Gomez-Arcos*
R195. L'Imposture, *par Georges Bernanos*
R196. Ararat, *par D. M. Thomas*
R197. La Croisière de l'angoisse, *par Eric Ambler*
R198. Léviathan, *par Julien Green*
R199. Sarnia, *par Gerald Basil Edwards*
R200. Le Colleur d'affiches, *par Michel del Castillo*
R201. Un mariage poids moyen, *par John Irving*
R202. John l'Enfer, *par Didier Decoin*
R203. Les Chambres de bois, *par Anne Hébert*
R204. Mémoires d'un jeune homme rangé *par Tristan Bernard*
R205. Le Sourire du Chat, *par François Maspero*
R206. L'Inquisiteur, *par Henri Gougaud*
R207. La Nuit américaine, *par Christopher Frank*
R208. Jeunesse dans une ville normande *par Jacques-Pierre Amette*
R209. Fantôme d'une puce, *par Michel Braudeau*
R210. L'Avenir radieux, *par Alexandre Zinoviev*
R211. Constance D., *par Christian Combaz*
R212. Épaves, *par Julien Green*
R213. La Leçon du maître, *par Henry James*
R214. Récit des temps perdus, *par Aris Fakinos*
R215. La Fosse aux chiens, *par John Cowper Powys*
R216. Les Portes de la forêt, *par Elie Wiesel*
R217. L'Affaire Deltchev, *par Eric Ambler*
R218. Les amandiers sont morts de leurs blessures *par Tahar Ben Jelloun*
R219. L'Admiroir, *par Anny Duperey*
R220. Les Grands Cimetières sous la lune *par Georges Bernanos*
R221. La Créature, *par Étienne Barilier*
R222. Un Anglais sous les tropiques, *par William Boyd*
R223. La Gloire de Dina, *par Michel del Castillo*

R224. Poisson d'amour, *par Didier van Cauwelaert*
R225. Les Yeux fermés, *par Marie Susini*
R226. Cobra, *par Severo Sarduy*
R227. Cavalerie rouge, *par Isaac Babel*
R228. Tous les soleils, *par Bertrand Visage*
R229. Pétersbourg, *par Andréi Biély*
R230. Récits d'un jeune médecin, *par Mikhaïl Boulgakov*
R231. La Maison des prophètes, *par Nicolas Saudray*
R232. Trois Heures du matin à New York
par Herbert Lieberman
R233. La Mère du printemps, *par Driss Chraïbi*
R234. Adrienne Mesurat, *par Julien Green*
R235. Jusqu'à la mort, *par Amos Oz*
R236. Les Envoûtés, *par Witold Gombrowicz*
R237. Frontière des ténèbres, *par Eric Ambler*
R238. Les Deux Sacrements, *par Heinrich Böll*
R239. Cherchant qui dévorer, *par Luc Estang*
R240. Le Tournant, *par Klaus Mann*
R241. Aurélia, *par France Huser*
R242. Le Sixième Hiver
par Douglas Orgill et John Gribbin
R243. Naissance d'un spectre, *par Frédérick Tristan*
R244. Lorelei, *par Maurice Genevoix*
R245. Le Bois de la nuit, *par Djuna Barnes*
R246. La Caverne céleste, *par Patrick Grainville*
R247. L'Alliance, tome 1, *par James A. Michener*
R248. L'Alliance, tome 2, *par James A. Michener*
R249. Juliette, chemin des Cerisiers, *par Marie Chaix*
R250. Le Baiser de la femme-araignée, *par Manuel Puig*
R251. Le Vésuve, *par Emmanuel Roblès*
R252. Comme neige au soleil, *par William Boyd*
R253. Palomar, *par Italo Calvino*
R254. Le Visionnaire, *par Julien Green*
R255. La Revanche, *par Henry James*
R256. Les Années-lumière, *par Rezvani*
R257. La Crypte des capucins, *par Joseph Roth*
R258. La Femme publique, *par Dominique Garnier*
R259. Maggie Cassidy, *par Jack Kerouac*
R260. Mélancolie Nord, *par Michel Rio*
R261. Énergie du désespoir, *par Eric Ambler*
R262. L'Aube, *par Elie Wiesel*
R263. Le Paradis des orages, *par Patrick Grainville*

R264. L'Ouverture des bras de l'homme
par Raphaële Billetdoux
R265. Méchant, *par Jean-Marc Roberts*
R266. Un policeman, *par Didier Decoin*
R267. Les Corps étrangers, *par Jean Cayrol*
R268. Naissance d'une passion, *par Michel Braudeau*
R269. Dara, *par Patrick Besson*
R270. Parias, *par Pascal Bruckner*
R271. Le Soleil et la Roue, *par Rose Vincent*
R272. Le Malfaiteur, *par Julien Green*
R273. Scarlett si possible, *par Katherine Pancol*
R274. Journal d'une fille de Harlem, *par Julius Horwitz*
R275. Le Nez de Mazarin, *par Anny Duperey*
R276. La Chasse à la licorne, *par Emmanuel Roblès*
R277. Red Fox, *par Anthony Hyde*
R278. Minuit, *par Julien Green*
R279. L'Enfer, *par René Belletto*
R280. Et si on parlait d'amour, *par Claire Gallois*
R281. Pologne, *par James A. Michener*
R282. Notre homme, *par Louis Gardel*
R283. La Nuit du solstice, *par Herbert Lieberman*
R284. Place de Sienne, côté ombre
par Carlo Fruttero et Franco Lucentini
R285. Meurtre au comité central
par Manuel Vásquez Montalbán
R286. L'Isolé soleil, *par Daniel Maximin*
R287. Samedi soir, dimanche matin, *par Alan Sillitoe*
R288. Petit Louis, dit XIV, *par Claude Duneton*
R289. Le Perchoir du perroquet, *par Michel Rio*
R290. L'Enfant pain, *par Agustin Gomez-Arcos*
R291. Les Années Lula, *par Rezvani*
R292. Michael K, sa vie, son temps, *par J. M. Coetzee*
R293. La Connaissance de la douleur
par Carlo Emilio Gadda
R294. Complot à Genève, *par Eric Ambler*
R295. Serena, *par Giovanni Arpino*
R296. L'Enfant de sable, *par Tahar Ben Jelloun*
R297. Le Premier Regard, *par Marie Susini*
R298. Regardez-moi, *par Anita Brookner*
R299. La Vie fantôme, *par Danièle Sallenave*
R300. L'Enchanteur, *par Vladimir Nabokov*
R301. L'Ile atlantique, *par Tony Duvert*

R302. Le Grand Cahier, *par Agota Kristof*
R303. Le Manège espagnol, *par Michel del Castillo*
R304. Le Berceau du chat, *par Kurt Vonnegut*
R305. Une histoire américaine, *par Jacques Godbout*
R306. Les Fontaines du grand abîme, *par Luc Estang*
R307. Le Mauvais Lieu, *par Julien Green*
R308. Aventures dans le commerce des peaux en Alaska
par John Hawkes
R309. La Vie et demie, *par Sony Labou Tansi*
R310. Jeune Fille en silence, *par Raphaële Billetdoux*
R311. La Maison près du marais, *par Herbert Lieberman*
R312. Godelureaux, *par Eric Ollivier*
R313. La Chambre ouverte, *par France Huser*
R314. L'Œuvre de Dieu, la part du Diable, *par John Irving*
R315. Les Silences ou la vie d'une femme, *par Marie Chaix*
R316. Les Vacances du fantôme, *par Didier van Cauwelaert*
R317. Le Levantin, *par Eric Ambler*
R318. Beno s'en va-t-en guerre, *par Jean-Luc Benoziglio*
R319. Miss Lonelyhearts, *par Nathanaël West*
R320. Cosmicomics, *par Italo Calvino*
R321. Un été à Jérusalem, *par Chochana Boukhobza*
R322. Liaisons étrangères, *par Alison Lurie*
R323. L'Amazone, *par Michel Braudeau*
R324. Le Mystère de la crypte ensorcelée
par Eduardo Mendoza
R325. Le Cri, *par Chochana Boukhobza*
R326. Femmes devant un paysage fluvial, *par Heinrich Böll*
R327. La Grotte, *par Georges Buis*
R328. Bar des flots noirs, *par Olivier Rolin*
R329. Le Stade de Wimbledon, *par Daniele Del Giudice*
R330. Le Bruit du temps, *par Ossip E. Mandelstam*
R331. La Diane rousse, *par Patrick Grainville*
R332. Les Éblouissements, *par Pierre Mertens*
R333. Talgo, *par Vassilis Alexakis*
R334. La Vie trop brève d'Edwin Mullhouse
par Steven Millhauser
R335. Les Enfants pillards, *par Jean Cayrol*
R336. Les Mystères de Buenos Aires, *par Manuel Puig*
R337. Le Démon de l'oubli, *par Michel del Castillo*
R338. Christophe Colomb, *par Stephen Marlowe*
R339. Le Chevalier et la Reine, *par Christopher Frank*
R340. Autobiographie de tout le monde, *par Gertrude Stein*

R341. Archipel, *par Michel Rio*
R342. Texas, tome 1, *par James A. Michener*
R343. Texas, tome 2, *par James A. Michener*
R344. Loyola's blues, *par Erik Orsenna*
R345. L'Arbre aux trésors, légendes, *par Henri Gougaud*
R346. Les Enfants des morts, *par Henrich Böll*
R347. Les Cent Premières Années de Niño Cochise
par A. Kinney Griffith et Niño Cochise
R348. Vente à la criée du lot 49, par *Thomas Pynchon*
R349. Confessions d'un enfant gâté
par Jacques-Pierre Amette
R350. Boulevard des trahisons, *par Thomas Sanchez*
R351. L'Incendie, *par Mohammed Dib*
R352. Le Centaure, *par John Updike*
R353. Une fille cousue de fil blanc, *par Claire Gallois*
R354. L'Adieu aux champs, *par Rose Vincent*
R355. La Ratte, *par Günter Grass*
R356. Le Monde hallucinant, *par Reinaldo Arenas*
R357. L'Anniversaire, *par Mouloud Feraoun*
R358. Le Premier Jardin, *par Anne Hébert*
R359. L'Amant sans domicile fixe
par Carlo Fruttero et Franco Lucentini
R360. L'Atelier du peintre, *par Patrick Grainville*
R361. Le Train vert, *par Herbert Lieberman*
R362. Autopsie d'une étoile, *par Didier Decoin*
R363. Un joli coup de lune, *par Chester Himes*
R364. La Nuit sacrée, *par Tahar Ben Jelloun*
R365. Le Chasseur, *par Carlo Cassola*
R366. Mon père américain, *par Jean-Marc Roberts*
R367. Remise de peine, *par Patrick Modiano*
R368. Le Rêve du singe fou, *par Christopher Frank*
R369. Angelica, *par Bertrand Visage*
R370. Le Grand Homme, *par Claude Delarue*
R371. La Vie comme à Lausanne, *par Erik Orsenna*
R372. Une amie d'Angleterre, *par Anita Brookner*
R373. Norma ou l'exil infini, *par Emmanuel Roblès*
R374. Les Jungles pensives, *par Michel Rio*
R375. Les Plumes du pigeon, *par John Updike*
R376. L'Héritage Schirmer, *par Eric Ambler*
R377. Les Flamboyants, *par Patrick Grainville*
R378. L'Objet perdu de l'amour, *par Michel Braudeau*
R379. Le Boucher, *par Alina Reyes*

R380. Le Labyrinthe aux olives, *par Eduardo Mendoza*
R381. Les Pays lointains, *par Julien Green*
R382. L'Épopée du buveur d'eau, *par John Irving*
R383. L'Écrivain public, *par Tahar Ben Jelloun*
R384. Les Nouvelles Confessions, *par William Boyd*
R385. Les Lèvres nues, *par France Huser*
R386. La Famille de Pascal Duarte, *par Camilo José Cela*
R387. Une enfance à l'eau bénite, *par Denise Bombardier*
R388. La Preuve, *par Agota Kristof*
R389. Tarabas, *par Joseph Roth*
R390. Replay, *par Ken Grimwood*
R391. Rabbit Boss, *par Thomas Sanchez*
R392. Aden Arabie, *par Paul Nizan*
R393. La Ferme, *par John Updike*
R394. L'Obscène Oiseau de la nuit, *par José Donoso*
R395. Un printemps d'Italie, *par Emmanuel Roblès*
R396. L'Année des méduses, *par Christopher Frank*
R397. Miss Missouri, *par Michel Boujut*
R398. Le Figuier, *par François Maspero*
R399. La Solitude du coureur de fond, *par Alan Sillitoe*
R400. L'Exposition coloniale, *par Erik Orsenna*
R401. La Ville des prodiges, *par Eduardo Mendoza*
R402. La Croyance des voleurs, *par Michel Chaillou*
R403. Rock Springs, *par Richard Ford*
R404. L'Orange amère, *par Didier van Cauwelaert*
R405. Tara, *par Michel del Castillo*
R406. L'Homme à la vie inexplicable, *par Henri Gougaud*
R407. Le Beau Rôle, *par Louis Gardel*
R408. Le Messie de Stockholm, *par Cynthia Ozick*
R409. Les Exagérés, *par Jean- François Vilar*
R410. L'Objet du scandale, *par Robertson Davies*
R411. Berlin mercredi, *par François Weyergans*
R412. L'Inondation, *par Evguéni Zamiatine*
R413. Rentrez chez vous Bogner !, *par Heinrich Böll*
R414. Les Herbes amères, *par Chochana Boukhobza*
R415. Le Pianiste, *par Manuel Vázquez Montalbán*
R416. Une mort secrète, *par Richard Ford*
R417. La Journée d'un scrutateur, *par Italo Calvino*
R418. Collection de sable, *par Italo Calvino*
R419. Les Soleils des indépendances, *par Ahmadou Kourouma*
R420. Lacenaire (un film de Francis Girod), *par Georges Conchon*
R421. Œuvres pré-posthumes, *par Robert Musil*

R422. Merlin, *par Michel Rio*
R423. Charité, *par Éric Jourdan*
R424. Le Visiteur, *par György Konrad*
R425. Monsieur Adrien, *par Franz-Olivier Giesbert*
R426. Palinure de Mexico, *par Fernando Del Paso*
R427. L'Amour du prochain, *par Hugo Claus*
R428. L'Oublié, *par Elie Wiesel*
R429. Temps zéro, *par Italo Calvino*
R430. Les Comptoirs du Sud, *par Philippe Doumenc*
R431. Le Jeu des décapitations, *par Jose Lezama Lima*
R432. Tableaux d'une ex, *par Jean-Luc Benoziglio*
R433. Les Effrois de la glace et des ténèbres, *par Christoph Ransmayr*
R434. Paris-Athènes, *par Vassilis Alexakis*
R435. La Porte de Brandebourg, *par Anita Brookner*
R436. Le Jardin à la dérive, *par Ida Fink*
R437. Malina, *par Ingeborg Bachmann*
R438. Moi, laminaire, *par Aimé Césaire*
R439. Histoire d'un idiot raconté par lui-même
par Félix de Azúa
R440. La Résurrection des morts, *par Scott Spencer*
R441. La Caverne, *par Eugène Zamiatine*
R442. Le Manticore, *par Robertson Davies*
R443. Perdre, *par Pierre Mertens*
R444. La Rébellion, *par Joseph Roth*
R445. D'amour P. Q., *par Jacques Godbout*
R446. Un oiseau brûlé vif, *par Agustin Gomez-Arcos*
R447. Le Blues de Buddy Bolden, *par Michael Ondaatje*
R448. Étrange séduction (Un bonheur de rencontre)
par Ian McEwan
R449. La Diable, *par Fay Weldon*
R450. L'Envie, *par Iouri Olecha*
R451. La Maison du Mesnil, *par Maurice Genevoix*
R452. La Joyeuse Bande d'Atzavara
par Manuel Vázquez Montalban
R453. Le Photographe et ses modèles, *par John Hawkes*
R454. Rendez-vous sur la terre, *par Bertrand Visage*
R455. Les Aventures singulières du soldat Ivan Tchonkine
par Vladimir Voïnovitch
R456. Départements et Territoires d'outre-mort
par Henri Gougaud
R457. Vendredi des douleurs, *par Miguel Angel Asturias*
R458. L'Avortement, *par Richard Brautignan*